# 세상에 남긴 나의 흔적들

삶의 아픔을 함께 이겨내는 치유 에세이

네이버 검색창에 장구호를 검색해보세요

## 장구호

갑자기 찾아온 신장암을 이겨내는 과정 속에서 인생의 소중함을 깨닫고 자신이 세상에 남긴 흔적들을 정리해 담았다. 해태음료에서의 직장 생활과 농촌 생활, 어린 시절의 추억, 지역사회에 대한 자원봉사 활동 등과 그 안에서 만난 소중한 인연들을 통해 얻은 교훈과 성찰을 공유하며, 삶의 다양한 면모와 인간 관계의 중요성을 독자에게 전달한다. 집필 도서로는 〈당신만을 위한 빛〉, 〈웃음이 필요한 너에게 : 기분 좋은 하루를 만드는 명랑 필사시집〉이 있다.

# 세상에 남긴 나의 흔적들

삶의 아픔을 함께 이겨내는 치유 에세이

# 차 례

# 01
## 흔적에 대하여

오늘 아침, 7시가 되지 않았음에도 난 여느 때처럼 식당을 향해 당당히 걸어가고 있다. 배식차가 일찍 나갔기 때문이다. 아침 식사 배식은 7시부터 시작되지만, 난 항상 7시가 되기도 전에 복도 끝을 바라본다.

　식당이 있는 6층에 입원해 있어서 고개를 쑤욱 내밀어 쳐다보다가 배식차가 나가는 모습을 목격하면 예식장에서 신랑 입장하듯이 바로 들어가서는 싱글벙글 웃으며 늘 1등으로 아침 식사를 한다. 그렇게 아침 식사를 마치고 식판을 가져다놓고 돌아서는 순간 영양사 선생님이 날 부른다.

　"장구호 님!"

　난 순간 아차 하면서 살며시 미소를 지으며 대답한다.

　"네!"

"다작을 하시라고 했잖아요. 왜 이렇게 빨리 드시는 거예요."

"아…… 그러게요……. 생각처럼 잘 안 되네요."

"제발 천천히 꼭 꼭 씹으면서 드세요."

"그러려고 하는데 먹을 것만 보면 정신을 못 차라니 저도 미치겠어요."

이런 대화를 하고는 영양사 선생님을 비롯하여 모든 분들이 웃으며 아침을 시작하게 된다. 내가 지금 있는 이곳은 내 집도 아니고 일터도 아닌 바로 '암 요양병원'이다.

그렇다. 나는 암 수술을 하고 내 두 번째 고향인 여수에서 요양 중이다. 암이란 영화, 드라마에서나 보던 질병이었는데, 내게 현실로 찾아왔다. 처음에는 믿기지 않아 부정하고 싶었다. 하지만 이 또한 내 삶의 일부분으로서 운명처럼 왔으니 현실을 그냥 인정하는 게 건강에 더 이로울 것이라 판단했다.

사람들은 살면서 간혹 후회한다. '내가 어제 이랬더라면, 내가 작년에 이걸 안했더라면, 내가 10년 전에 이것만 했더라면……. 그랬다면 지금의 내 모습이 아닌 더 성장한 나의 모습으로 살아갈 텐데.'라는 생각을 한다. 나 또한 한참 그런 생각에 잠겨 있었다.

내가 어쩌다 암 환자가 되었을까? 기억을 거슬러 올라가 봐도, 과거를 들추어 봐도 명확한 해답을 찾지 못했다. 분명 원인은 있을 것이다. 하지만 곧 찾지 못하는 답에 얽매일 필요는 없다는 결론을 내렸다.

왜냐하면 암은 하루 아침에 생겨난 것이 아니니까. 살아오면서, 오래전부터 조금씩 내면에 쌓여 가는 스트레스에 더해 흡연, 게으름 등이 나를 점차 지배하면서 인지하지 못한 사이 아주 조금씩 암세포가 자랐다. 그렇게 내 안 좋은 식습관과 생활들이 만들어 낸 괴물이 내 안에 암이라는 질병으로서 탄생한 것이다.

나는 어릴 적부터 워낙 내성적이어서 소심하고 겁도 많고 눈물도 많았다. 여자아이들과는 이야기하는 것조차 너무도 수줍어 얼굴도 제대로 쳐다보지 못하기도 했었다. 초등학교 시절, 수업 시간에 선생님이 일어서서 책을 읽어 보라고 하면 왜 그렇게나 떨렸는지 모른다. 지금 생각해 보면 그럴 일도 아닌데 말이다. 그러나 그때 그나마 위안이 되었던 것은 나뿐만 아니라 여러 친구들이 그렇게 떨었다는 것이다. 물론 긴장하지 않고 또박또박 잘 읽는 친구들도 많았는데 이런 친구들이 너무도 부러웠다.

그때 그 시절, 내 아이들도 거쳐 간 한 시절을 떠올려 본다. 지금 내 아들과 딸은 어느새 대학 졸업반이 되었다. 아마 이 책이 나올 때쯤이면 졸업을 하지 않았을까. 우리의 세대는 이렇게 비슷한 듯 다른 듯 이어진다.

세월이 흐르며 삶은 변화한다. 이렇게 지금의 내가 있기까지 어떤 일이 있었는지, 그것들이 내 삶을 어떻게 바꾸었는지, 이 삶 안에서 지금 내가 후회 없이 살고 있는지, 이 세상에 나와서 내가 남긴 흔적들은 무엇인지 되돌아본다.

\#

  지금으로부터 약 27년여 전으로 추측된다. 나는 고향 곡성읍 월평리에서 어릴 적부터 함께 뛰놀던 선배들과 명절이면 정기적으로 모임을 가지며 추억의 시간여행을 하곤 한다. 정확히는 모르겠지만 내 딸이 올해 25살이니 최소한 이 모임을 시작한 지는 27년 정도가 된 듯하다. 모임 명칭은 '우산각회'인데 어릴 적 마을 논 사이에 우산각이 하나 있어 어르신들이나 우리들이 여름에 놀던 곳이라 그곳의 이름을 따서 지었다.

  우산각회 멤버로는 내 2년 선배인 강신정, 김문영, 양영모, 1년 선배인 성금학, 이정삼 그리고 나 이렇게 6명이 전부이다. 처음 시작할 때는 9명이었는데 여러 가지 이유로 현재는 6명만 정기적으로 모이게 되었다. 그렇게 1년에 한 번씩 모여서는 어릴 적 추억의 대화로 웃음꽃을 피우며 소중한 시간을 보낸다. 계모임과 비슷한 성격의 모임이지만, 좋은 일, 슬픈 일이 있을 때 함께 나누고자하는 취지로 만들었기에, 멤버들은 오랫동안 우애 좋은 형제들처럼 설날이면 자리를 함께한다.

  어릴 적 산에 놀러 다니며 나무칼이나 활을 만들었던 이야기로 시작하여 각종 놀이들을 함께한 추억들을 이야기한다. 동네에 튀밥 튀는 아저씨가 찾아왔을 때, "뻥!" 소리와 함께 하얀 연기가 피어오르자, 한 선배가 "나는 하늘에서 내려온 선녀다."라는 멘트를 했던 일은 모일 때마다 단골로 나오는 스토리이다.

날이 따스할 때면 남의 묘 앞에서 공놀이를 한다거나 나이 먹기 등 놀이를 했다. 그러면 묘를 관리하는 분이(그때 당시 택시기사) 지나가면서 우리를 혼내기도 하고 때로는 묘에 올라가지 말라고 타이르면서 과자를 사 주기도 했다. 그럴 때면 너무 좋아서 싱글벙글하며 묘에서 놀지 않겠다고 하고 맛있게 과자를 먹고는, 또 근처에서 공차기를 하다가 걸려서 호되게 혼나기도 했다.

또한 동네에서는 비석 맞추기, 깡통 차기, 오징어게임, 숨바꼭질 등 안 해 본 것 없이 다 했다. 특히 해질 무렵 마지막 놀이는 숨바꼭질이었다. 숨바꼭질 중에 술래를 제외한 사람들은 몰래 각자의 집으로 가 버리고, 이를 뒤늦게 알아챈 술래는 집으로 허탈한 발걸음을 옮기기도 했다.

그리고 겨울에는 편을 갈라 논에서 쌓아 놓은 지푸라기를 본부로 삼아 눈싸움을 하는데, 간혹 눈덩이 속에 작은 돌멩이나 흙을 섞어 멀리 던지기도 했다. 때로는 야구도 했다. 그렇게 마음껏 뛰놀던 어린 시절의 이야기는 좋은 안주거리가 된다.

한편, 정월대보름이날이면 또 하나의 즐길 거리가 있었다. 선후배 친구들과 모여서 큰 냄비와 바구니를 가져와 몇몇 집집을 돌며 찰밥과 나물 김치 등을 얻어서 맛있게 먹고 깡통에 구멍을 뚫어 솔방울을 넣어 쥐불놀이를 하면서 놀았다. 그리 불장난을 하면서도 다행이 화재 사고 한 번 없었다. 그렇게 아무런 걱정거리 없이 너무 행복하게 지냈던 것 같다.

또 다른 추억은 아마 농촌에서 자란 사람들이라면 모두 공감할 만한 것이다. 종종 먹을거리가 없어 자연이 주는 음식을 먹곤 했는데 대표적인 게 바로 개구리이다.

그때 당시에는 뱀 무서운 줄 모르고 풀밭에 고무신 신고 얇은 싸리나무 가지로 풀을 후려치면서 개구리를 찾아 다녔고, 그렇게 여러 마리를 잡아 뒷다리를 구워 먹곤 했다. 개구리 뒷다리는 지금의 치킨과 흡사한 맛으로 싱거우니 소금을 뿌려 구워서 맛있게 먹었던 기억이 아직도 생생하다. 하지만 기생충에 감염될 우려가 있으니 지금은 먹지 않는 것이 좋을 듯하다.

그리고 또 다른 먹거리로는 봄에 길가에 피어나는 풀 중에 두툼하게 잎으로 둘러싸인 '삐비'가 있다. 껌 대용으로 씹기도 했던 삐비는 추억 속의 먹거리가 되었다. 또한 들판과 산에서는 산딸기를 따먹고, 찔레(어릴 적 '찔구'로 칭했다) 새순의 껍질을 벗겨 맛있게 먹기도 했던 기억이 난다.

여름이 다가오면 옥수수가 나오는데, 옥수수를 수확하고 남은 대를 입으로 뜯어 씹으면 달달한 물이 나와 간식으로 최고였다. 가을에는 산에 올라 정금을 따서 한 움큼 쥐어 입안에 털어넣었는데, 지금의 블루베리처럼 새콤달콤한 맛이 일품이었다. 그리고 운 좋으면 돌배를 먹을 수 있었는데, 돌배는 참으로 맛있는 과일로 최고의 간식이었다.

우리는 초·중학교 시절에 명절, 대보름, 방학 때면 동네 골목

길이나 뒷산에서 뛰어 놀며 자연과 함께 자랐다. 하지만 우리의 다음 세대 아이들의 장난감은 모두 닌텐도와 스마트폰이 대체하고 있으니, 우리의 어릴 적 추억과 지금 아이들의 추억은 너무도 다르다. 나중에 후손들은 나의 유년시절 기억 속의 놀이들을 박물관이나 역사관에서 볼 수 있는 무언가로 생각하지는 않을까.

어린 날의 추억을 함께한 우리 월평리 2년 선배들인 신정이 형, 문영이 형 영모 형들은 우리 우산각회를 이끌어 준 참으로 든든한 선배들이다. 1년 선배인 금학이 형과 정삼이 형은 선후배 간의 중추적인 역할을 하는데 늘 유쾌하다. 그리고 여러 이유들로 내 또래는 없어서 현재 동년배는 나 혼자이다.

나는 총무를 맡으며 때로는 큰소리를 내기도 하고 막내처럼 아양을 떨기도 하면서 고향을 지키는 우산각회의 막내이다. 언제까지나 지금처럼 의 상하는 일 없이 정겹게 세월을 함께하기를. 이렇게 모두가 고향에서 모여 사는 이야기들로 올 한해를 시작해 본다.

오랫동안 인연을 이어 온 사람들은 서로에 대한 이해도가 높다. 그런 이해에 더해 상대의 마음에 공감하며 서로를 생각하고 배려해 왔기에 긴 인연을 맺어 오는 게 가능했었다고 본다. 단순히 먹고 즐기는 모임이었다면 이게 불가능하지 않았을까.

우리들 사이에는 꼬맹이 시절부터 다져 온 끈끈한 정이 있다. 그 정이 추억과 함께 쌓여 결코 깨지지 않을 만큼 단단하고 강인한 우정으로 거듭나 우리는 앞으로도 계속 함께할 것이다.

# 02

## 지나온 흔적들

나는 농촌에서 자랐다. 부모님께서 나무 묘목 농장을 운영하시다 보니 여름철에도 인부를 얻어 밭일하시던 기억이 있다.

　초등학교 저학년 때 간식으로 먹었던 빵과 쿨피스가 얼마나 맛있었는지. 게다가 특별식으로 병 음료수, 즉 콜라, 사이다, 환타 등이 나오면 그렇게 맛있을 수가 없었다. 마음껏 먹고 마실 수 있는 형편이 아니었기에 어쩌다 한 번 음료수를 마시면 그것이 세상에서 가장 맛있는 음식처럼 느껴졌다.

　난 그때 한 가지 다짐했다. 나중에 어른이 되어 돈을 벌게 되면 음료수를 많이 사먹겠다는 것이었다.

　그러던 내가 1995년 9월, 해태음료에 사무직으로 입사를 하며 어릴 적 그 꿈을 이루게 되었다. 어릴 적 그렇게 원 없이 마시고 싶어 하던 음료를 마음껏 마실 수 있게 될 줄이야. 어릴 때는 몰랐지만 이런 방식으로 소원풀이를 하게 된 게 참으로 우스웠다.

난 1995년 9월 해태음료 전주영업소에 입사하여 1997년 초 정읍으로, 그리고 1998년 봄 군산으로 발령받고 1999년 가을 순천지점으로 발령받아 전남권에서 생활했다. 그러다 2002년 10월에 여수지점으로 인사발령을 받으면서 여수와의 인연이 시작되었다.

그 후 퇴사하기까지 7년을 여수에서 살면서 많은 사람들을 알게 되었다. 그리고 내 삶의 터닝포인트가 된 계기가 찾아왔다. 바로 자원봉사 활동을 시작한 것이었다. 자원봉사 단체장이 되면서 사람들을 이끌어 가며 리더십을 발휘해야 했고, 그로 인해 자신감을 얻기도 했다.

자원봉사를 처음 시작한 것은 여수에서가 아니라 2000년대 초반 순천에서였다. 처음에 봉사활동을 하러 간 곳은 순천의 모 치매노인요양병원으로, 나를 비롯하여 20대 중후반의 사람들이 참여했고, 참여자 가운데는 10대 학생들도 있었다.

한 달에 한 번, 일요일에 하는 봉사활동에 참여하면서 모르는 사람들과 조화를 이루어 다른 사람들을 위해 무언가를 할 수 있다는 것이 보람찼다. 이를 통해 인적 네트워크도 형성되기 시작했다.

그 후 여러 여건상 순천을 떠나면서 단체장 자리를 다른 분에게 넘겨주고 여수에서 직장생활을 한 달 정도 한 후, 여수에서 봉사활동을 새롭게 시작해 보고 싶다는 생각이 문득 떠올랐다.

그러나 무엇이든 시작이 어렵다. 우선 혼자서는 한계가 있었다. 내게는 타지나 다름없던 여수에서 자원봉사자 모집을 어떻게 할 것인지가 가장 큰 고민거리였다. 그래서 우선 인터넷에 검색하기 시작했다.

그때, 우연히 눈에 들어오는 봉사단체가 있었다. 바로 '따뜻한 세상 만들기'라는 전국 규모의 봉사단체였다. 이 단체는 각 지역마다 '따뜻한 세상 만들기 OO'라는 단체명을 가지고 있었다.

그 봉사단체를 발견한 나는 카페에 문의하며 그간의 이야기를 전하고, 여수에서 활동하고 싶다고 말했다. 그러자 '따뜻한 세상 만들기 여수' 카페를 개설해 주었고 그것을 계기로 여수지역 기업 등의 홈페이지에 카페 홍보를 하기 시작했다.

며칠이 지나니 한 명 두 명 가입을 하기 시작했다. 어찌 알고 가입했냐고 물으니 검색해서 가입했다고 한다. 그러다가 가입자들에게 날짜를 정해서 만나서 이야기하자고 제안을 했고 다들 수락하여 만나게 되었다.

첫 시작은 원만했다. 세 사람이 참여했고 독거노인 방문으로 활동을 시작했다. 하지만 회원 두 명이 타 지역으로 이사를 가고 개인적인 사정으로 인하여 그만두게 되면서 결국 나 혼자 활동을 하게 되었다.

그래도 계속 활동하라는 뜻이었는지 카페에 하나둘 가입을 하기 시작하고 어느덧 회원이 10명, 15명이 되면서 활동 영역도 넓혀 나갔다. 우선 독거노인 방문 활동은 계속 진행했고, 여수 시내 아동복지시설을 대상으로 하는 봉사도 추가하여 시설 선생님들과 면담 후 유아반을 담당하기로 했다. 그렇게 점차 회원 수도 늘어났다.

전국 봉사단체다 보니 봄에는 각 지역의 회장들과 임원진 워크숍에 참석하고, 여름에는 지역별로 MT를 진행하며 자원봉사자들 간 활동 사항과 계획 등을 논의하고 자원봉사 활동 중에 발생되는 고충과 회원 간의 마찰 등 다양한 의견들을 수렴하기도 했다.

따뜻한 세상 만들기는 현직 경찰이 만든 봉사활동 단체로 이후 전국으로 확산되었다. 함께 고민하면서 성장하는 따뜻한 세상 만들기 봉사단체가 내게 큰 의미로 다가왔다. 그렇게 우연한 계기로 광주, 전남 MBC 방송 '종이비행기'라는 프로그램 촬영도 하게 되었다.

2007년도 여름, 매우 습하고 더운 날이었다. 순천시 왕지동의 한 마을에 거주하시는 90대 할머니댁은 보수가 필요했고, 여러 환경 여건들의 개선이 꼭 필요한 상황이었다. 그래서 우리는 '종이비행기'라는 프로그램 의뢰를 하게 되었고, 해당 프로그램 팀과 함께 외부의 도움을 받아 취약했던 집 곳곳을 새 집처럼 개선할 수 있었다.

처음 방송에 나왔던 터라 쑥스러웠다. 지금도 가끔씩 그때의 영상을 보면 참 그때 나의 모습이 왜 그리도 어리숙해 보이던지. 방송이 나간 다음 날 회사 일로 법원에 서류를 접수하러 갔었다. 그런데 민원실 직원분이 이렇게 물었다.

"혹시 어제 TV에 나오셨던 분 아니세요?"

"아. 네 맞습니다."

"아유, 대단하시네요. 봉사활동 참 열심히 하시는 것 같아요."

"아니에요. 저도 그냥 하는 건데 우연찮게 그렇게 되었네요."

이렇게 나를 알아봐 주는 게 참으로 신기했다. 그 이후에는 거래하던 여수 무선지구 한 문구점에 필요한 사무용품을 사러 갔었는데 주인분이 "어제 텔레비전 나오는 거 잘 봤어요."라고 하시는 거다. "아~ 보셨어요?" 했더니, "어제 저녁에 우리 딸이 '엄마! 지금 TV에 해태 아저씨 나와!'라고 해서 봤어요."라는 이야기에 또 한 번 머쓱해졌다.

방송에 나온 후로 우리 카페에는 회원들이 더 많이 가입하게 되었다. 활동하던 중에 35명 정도가 참석하여 정신이 없었던 적도 있었다. 그때 방송을 보고 가입해서 지금도 연을 이어 가고 있는 분 가운데 조민수 형님이 계신다. 아직도 여수 둔덕동에서 세왕카센터를 하시면서 가끔씩 식사를 하며 지난날을 상기하고 미소 짓는 시간들이 참 즐겁기만 하다.

여수 시내에 있는 아동복지시설에는 한 달에 한 번 토요일에 방문했는데, 유치부 아이들은 너무도 예쁘고 천사같았다. 아이들과의 만남은 늘 즐거웠고, 마음이 정화되는 기분을 느낄 수 있었다. 아이들과 함께 동심의 세계로 떠나는 여행은 늘 즐겁고 신나고 설레었다. 그렇게 아이들을 바라보며 나도 내 어릴 적의 시간으로 여행을 떠나 본다.

나 또한 아이들을 키우고 있던 터라 아이들과의 교감은 큰 문제가 없었다. 담당 사회복지사 선생님들과도 이견 없이 조화를 이루었기에 활동하는 데 어려움 없이 즐겁게 시간을 보낼 수 있었다.

아동복지시설에서는 성탄절이 가까워지면 '안다미로'라는 행사를 하는데 각 생활방의 아이들이 장기자랑을 선보이며 모두가 행복한 성탄 전야제를 보냈다. 나는 해마다 시설의 허락하에 그 영상을 촬영하고 편집하여 시설에 파일을 전송하기도 했다. 나는 아직도 그 영상 파일들을 소장하고 있는데, 가끔씩 영상을 보면 그때의 시간들 그리고 지금은 성장해 성인이 되어 어디에선가 가정을 이루고 살고 있을 그 아이들을 상상해 보며 나도 나의 내일을 그려 본다.

자원봉사로 맺은 인연은 좋은 영향력을 발휘하는 듯하다. 시간이 흘러도 변치 않는 그 마음을 느끼며 항상 감사함을 되새긴다. 방송 매체의 힘은 중앙이건 지방이건 정말 대단했다. 그 파급력이 무시 못 할 정도였다. 지금은 시간이 흘러 잊혀졌지만 그때 그 마음은 실로 표현할 수 없을 만큼 뭉클하다.

직장 생활을 하면서 쉬는 날 한 달에 한두 번 정도 주말이면 봉사활동을 했다. 일주일간 쌓인 피로를 봉사활동을 통해 해소하는 기분이었다. 오전부터 오후까지 즐겁게 활동하다 보면 시간이 금방 흐른다. 월요일 출근 걱정은 잠시 미뤄둔 채 즐기고 있었던 일요일의 오후, 봉사활동을 마치고 눈부신 햇살 아래 회원들과 단합하는 시간은 또 하나의 행복으로 다가왔었다.

때로는 그냥 각자 집으로 헤어져 다음 모임을 기약하지만 때론 아쉬움을 달래고자 회원들끼리 볼링장에 가서 스트레스를 해소하고, 웃음, 환호성, 박수를 통해서 행복함을 찾고 맛있는 저녁 식사를 하고, 더 늦어지면 노래방까지 함께 가면서 일요일의 하루가 길게 늘어진다. 여수에서의 생활은 이렇게 자원봉사와 직장생활로 하루하루 즐거웠다.

가끔은 회원들끼리도 자원봉사가 무엇인가라는 주제로 설전을 펼치기도 했었다. 여러 가지 의견들이 나왔지만 한 가지 분명한 것은 누군가에게는 반드시 나의 손길이, 나의 힘이, 나의 노력들이 필요할 수 있으니 한 마음 한 뜻으로 한 시선으로 나아가는 우리의 목표는 분명히 일치한다는 것이다.

가끔 사람들은 그렇게 '네 시간을 할애해 가면서 그냥 쉬지 왜 그렇게 봉사활동을 하느냐?' 하는 질문들도 하곤 했었다. 그러면 난 서슴없이 이야기한다.

"자원봉사 활동 해 보셨어요?"

"아니. 안 해 봤는데…."

"그럼 해 보고 나서 말씀하세요. 해 본 사람만이 알고 느낄 수 있는 그 무언가가 가슴 깊이, 내면에 스며들 테니까요."

정확한 연도는 기억이 나지 않는다. 대략 2010년 정도 되었을까 여수시 자원봉사센터에서 각 자원봉사 단체들을 대상으로 하는 공모사업이 있었다. 2012년 여수엑스포를 대비해서 단체에서 진행할 수 있는 사업 공모였던 것 같은데, 당시 회원들에게 이야기를 하고 내가 공모서를 작성하여 제출해서 우리 봉사단체가 사업비를 받게 되었었다.

그래서 여건상 제작하지 못했던 단체 조끼를 제작하고 우리 단체의 플래카드, 그리고 사업계획으로 작성했던 여수해양공원 자연정화 활동에 필요한 물품들을 구입했다.

아직도 기억이 생생한 것은 해양공원 화장실 뒤편에서 담배를 피우고 있었는데 (그때 당시엔 지금처럼 심한 제재가 없었을 때라 그나마 보이지 않는 곳에서 흡연했던 시기였던 것으로 기억한다) 고등학생으로 보이는 남자아이 3명이 저쪽에서 담배를 피우고 있는 모습을 보게 되었다.

어른으로서 그대로 두고 볼 수만은 없었기에, 그 아이들을 향해서 다가가던 도중 그 학생들의 친구 대여섯 명이 우르르 몰려와 함께 담배를 물고 있는 모습을 마주하고는 순간 멈칫하여 생각하다 되돌아왔다.

잘못하면 내가 얻어 터질 것 같았기 때문이었다. 쪽수로 밀리니 약해지는 모습이 아직도 눈에 선하다. 지금 시대에는 상상도 못할 일이다. 감히 학생들을 나무랄 수 있는 사회가 아니기에 말이다.

그때만 해도 그냥 그랬지만 지금 사회에서는 따스하고 바른 길로 인도하는 손길은 폭행죄가 된다. 설령 말로 훈계한다고 해도 아이들이 듣지 않을 확률이 높으며, 어른이고 뭐고 그냥 덤빈다면 어찌할 것인가. 법이 올바른 행동을 그다지 보호하지는 않는 것 같다.

그냥 남의 일이니 상관 말고 봐도 못 본 척을 해야 하는 현실이 서글프다. 어쩌다 이렇게까지 사회가 변했을까. 정녕 방법이 없는 것인가. 뉴스를 보다 가끔씩 이런 유사한 사건 사고들을 마주하면 혈압이 오르고 울화가 치민다.

특히 촉법이 가장 무서운 법이다. 촉법을 폐지해야 한다는 목소리들이 많다. 그러나 폐지가 어렵다면 촉법의 경우 그의 보호자가 그에 상응하는 처벌을 받아야 한다고 본다. 분명 누군가는 책임을 져야하기 때문이다. 아이가 잘못을 했으면 어른이 책임지는 것은 당연하다. 이는 분명 개선되어야 할 것이며 이대로 정체된다면 이 사회는 점점 혼란에 빠질 수밖에 없을 것이라는 생각뿐이다.

언론에서는 항상 이렇게 마무리한다. 요즘 학생들이 이렇게 되기까지 우리 어른들의 책임이라고 하지만 과연 이게 모든 어른들의 책임일까? 난 아니라고 본다. 어른들의 책임이지만 정확히 이야기하자면 일반적인 우리 어른들은 나섰다가 봉변당하고 고소당하고 오히려 가해자가 되거나 피해자가 되는 사고로 이어져 갔다.

과연 이런 결과물이 나오는 데는 어떤 시스템에 문제가 있을까? 촉법이든 아니든 우리나라 법 개정이 그만큼 시급하고 중요하다는 것이다. 국회에서 개정하여 경찰과 검찰에선 엄격한 구형으로 일벌백계로 본보기가 있어야 한다.

그러나 최종 판단은 법원이다. 고생해서 잡아 넣으면 집행유예나 가벼운 벌금으로 풀려나 피해자들은 불안에 떨어야 한다. 오죽하면 판사를 AI로 대체하자는 이야기가 나올까. 법을 개정하고 그에 상응하는 처벌이 내려져야 피해자들도 울분을 조금이나마 삭힐 것이다. 그래서 다시는 범죄가 재발하는 일이 없도록 해야 한다.

모든 일을 무조건 어른들의 책임으로만 돌릴 게 아니라 현실을 직시하고 그에 맞는 법 개정과 시행이 절실하다. 이 이야기에는 누구든 동감일 것이다.


\#

내 모든 직장생활 가운데 여수에서의 직장생활이 가장 길었다. 그래서인지 여수에 유독 정이 많이 간다. 나는 1995년 해태음료 전주영업소에 입사하여 사무직으로 근무하면서 직장생활을 시작했다. 그 후 인사발령으로 인하여 정읍에서 군산, 그리고 전남으로 옮겨와 순천에서 3년, 여수에서 7년의 시간이 나에게 주어졌다.

지금도 그렇지만 그때도 잘하지 못했던 게 하나 있다. 바로 사람들 앞에서 자기소개를 하는 것이다. 인사이동을 하게 되면 새로운 곳에서 인사를 해야 하는데, 그때마다 왜 그리도 심장이 요동을 치고 진땀이 흐르는 상황이 연출되는지. 이런 성격을 가진 내 자신이 원망스럽기까지 했다.

지금까지도 나는 어디선가 자기소개의 시간이 주어지면 순서가 다가올수록 심장이 여전히 쿵쾅쿵쾅거린다. 그리고 말의 맥락 없이 흐지부지하게, 어떻게 이야기했는지도 모르게 마무리한다. 아무도 큰 신경을 쓰지 않지만 괜히 자신감이 하락해서 얼굴이 빨개지고 시선을 다른 곳으로 돌리며 마음을 진정시키느라 애쓴다.

왜 그토록 많은 자기소개를 해 왔음에도 불구하고 여전히 나아지지 않는 것일까. 그냥 대표로 진행자가 간략 소개로 하고 끝내면 얼마나 좋을까 제발 자기소개는 하지 않았으면 좋겠다고 생각을 한다.

그러나 한 가지 웃긴 점은 가끔 내가 진행을 맡을 경우 누군가에게 자기소개를 시켜야만 한다는 점이다. 나도 못하는 자기소개를 다른 사람에게 시키고 있는 내 자신에 헛웃음이 나와 어쩐지 부끄러워진 적도 있었다. 사람의 마음이라는 게 다 자기 편의에 따라, 본인의 의지와 상관없이 그렇게 흘러가기도 하나 보다.

여수지점에서의 7년간 근무 생활 중에 재미있었던 일들이 있었는데 그중 몇 가지를 이야기해 본다. 출근 시 차를 타고 사무실 주차장에 주차하고 내려서 몇 미터만 걸으면 내 사무실이다. 그래서 늘 차에서 내리면 슬리퍼를 신은 채로 사무실에 출근하게 되는데 하루는 지점장님이 앞에서 지켜보더니 이렇게 말씀하시는 것이었다.

"잘한다~! 회사에 마실 나왔냐?"

"하하하, 안녕하십니까?"

그렇지만 그다음 날에도 그 다다음 날에도, 매일 슬리퍼로 출근을 했다. 특별히 본사에서 누가 내려오거나 광주 부서에서 부서장님이 오실 때는 필히 올바른 복장을 갖추었다.

사무실 담장 골목길 건너편에는 한 초등학교가 있었다. 늘 아이들의 시끌벅적한 생동감이 넘치는 소리가 들려와 생활의 활력소가 되었다. 하루는 화장실을 가려고 담장 쪽으로 돌아서 가고 있었는데, 좁은 길의 1/2 정도가 움푹 패인 상태로 수도계량기가 있었다.

더구나 콘크리트로 포장된 길이라 나를 포함한 모든 직원들이 걷는 데 큰 불편함 없이 잘 다니는 곳이었는데 햇볕 따스한 오후 화장실 가는 길에 순간 다른 생각을 했는지 수도계량기가 있는 움푹 패인 곳에 한쪽 발이 푹 빠지고 말았다. 너무 아파 순간 눈물이 날 지경이었는데 학교 쪽에서 나를 바라보는 눈빛이 느껴져 둘러보았다.

운동장에 놀던 한 아이가 날 보면서 웃다가 나와 눈이 마주치

더니 냅다 도망가는 모습이 보였다. 나도 헛웃음을 짓고는 창피하고 너무 아파서 얼른 자리를 피했다. 그 기억이 지금도 생생한데, 그때의 기억을 상기하면 무릎 쪽이 까인 것처럼 아파 온다.

#

난 식탐이 많은 반면 술은 전혀 마시지 못한다. 특히나 횟집에 가면 다른 사람들이 술 한 잔 건배하면서 짠~ 하고 마신 후 젓가락을 들고 회를 집으려 하면 난 이미 회 한 줄을 쓰윽 집어서 벌써 입안에 넣은 상태였기에, 다들 나와 횟집을 가면 안주발 세운다고 핀잔을 주곤 한다.

한번은 AS담당을 하는 수원이 형님(개명 전 강남일)이 저녁에 회 먹자면서 창고장님과 셋이서 함께 가자고 아침에 이야기를 하여 간만에 쫄깃하고 맛있는 회 먹을 생각에 들뜬 하루를 마무리할 퇴근 전 저녁때쯤 수원이 형님이 날 부르더니 "장 대리, 횟집 취소다. 우리 간짜장이나 한 그릇씩 하자." 하는 것이다. "그래요? 그럽시다. 짜장면 맛있겠어요." 하고 드디어 도착한 간짜장집. 그런데 한 그릇 뿐이었다. "형님, 어찌 한 그릇이래요?"라 묻자, "니가 하도 회를 많이 묵어서 우리가 못먹은 게 니 배 좀 미리 채워 놓으려고 그래." 하는 것이다. 어이가 없었다. 그러고는 아주 통쾌하게 웃었다. 짜장면을 맛있게 그릇을 비울 때쯤 집에서 전화가 왔다. 일이 있으니 일찍 오라는 것이었다. "형님, 오늘 안 되겠네요. 일이 있어 집에 일찍 가야겠네요. 회는 담에 먹읍시다." 하고, 결국 그날 저녁 횟집 모임을 다음으로 미뤄야만 했다.

　난 고기를 먹든 면류를 먹든 배가 빵빵할 때까지 먹어야 먹은 것 같고 행복함을 느꼈었다. 어설프게 먹으면 나중에 또 뭔가로 배를 채워야 하기에 절대 가볍게 먹는 법이 없었다. 짜고 단 것을 좋아하고, 빨리 먹고 잘 씹지도 않았다. 아침은 늘 공복에 믹스커피로 시작하며 담배를 즐겼다. 직장생활을 하면서 그런 습관들이 일상화되어 결국 건강을 악화시켜 지금의 내 상태가 된 것 같다.

　건강이라고는 1도 신경 안 쓰고 먹는 것 가리지 않고 먹고 커피와 담배는 늘 함께했다. 어린 아들과 딸이 편지까지 써 주며 담배를 끊으라 했는데, 아이들의 이야기에도 아랑곳하지 않고 내 멋대로 살아왔으니, 그리고 마음껏 먹어 왔으니 어쩔 수 없지만, 이제는 모든 게 제한되어 마음껏 누릴 수 없다는 게 서글프기도 하다.

　난 15년간의 직장생활을 마무리하며 최종적으로는 부산에서 퇴사를 하게 되었다. 여수지점에서 근무하던 중에도 1998년 해태그룹 부도 이후 힘겹게 버티던 회사의 적자는 계속되고, 지점의 통폐합으로 여수지점은 순천지점으로 흡수되었다. 난 광주에 부서담당으로 잠시 옮긴 뒤 부산의 훼미리대리점 담당으로 인사이동되고 2개월간 부산 근무을 끝으로 직장생활을 그만두게 되었다.

그만두는 데는 고향인 곡성으로 귀농을 해야만 하는 상황이 되었기 때문이었다. 물론 그만두고 곧바로 간 것은 아니었다. 나만의 시간을 가지면서 여수에서의 삶을 정리하면서 정든 직장도 여수도 뒤로하고 지나온 시간들을 추억하며 살아온 일부분의 삶을 정리는 시간이 필요했다.

농촌의 삶을 시작해야 하기에 그에 따른 부담감도 없잖아 있었다. 게다가 한 번 들어가 살면 나오기는 여간 어렵다는 것을 말하지 않아도 누구나 잘 알 것이다.

여러 시간들을 보내고 2010년 2월, 드디어 여수의 삶을 정리하고 고향 곡성으로 귀농을 하게 된다. 일단 살아갈 집을 구하기 전까지 부모님댁 별채에서 생활을 하기 시작하고 평소 집에 와서 일손에 동참하지 않았던 터라 농사일에 힘겨운 하루하루가 시작되었다.

2월부터 농사일에 죽어라 매진하다 보니, 어느새 뱃살이 빠지고 체중도 감소했고, 힘든 봄, 여름, 가을을 지나고 겨울이 오니 시간적 여유가 생겼다. 유난히도 추웠던 2010년의 겨울에는 내내 늦게 자고 늦게 일어나며 간식에 라면에 놀고먹으며 보냈다. 그렇게 2개월을 지내다 보니 어느새 사라졌던 뱃살들은 다시 귀가하여 자리를 잡고 다시는 나가지 않을 기세로 지금까지 빌붙어 있다.

그땐 몰랐다. 그저 그날 그날 놀면서 행복한 겨울의 시간이 그저 달콤하기만 했다. 그렇게 아무 생각 없이 따뜻한 겨울을 보냈던 것이다. 되돌아보면 그때부터라도 운동을 하고 여러 관리를 했더라면 최소한 지금의 상황까지는 오지 않았을지도 모른다는 의미 없는 생각을 해 본다. 왜냐하면 지나가 버린 시간은 다시 되돌아올 수 없기 때문이다.

계절은 지나가면 다시 또 봄이 찾아오고 순환되지만 우리 건강은 그렇지 못하다는 슬픈 이야기다. 한 번 망가져 버린 건강은 다시 되돌릴 수 없기 때문이다. 단순히 가벼운 거라면 얼마든지 회복할 수 있겠지만 심각한 경우 특히 나처럼 암 환자들은 절대 되돌릴 수가 없기 때문에 지금과 앞으로의 시간들이 절대적으로 중요하다는 것을 잊어서는 안 된다.

난 아직도 수술을 마치고 회복실에서 눈을 떴을 때 느꼈던 세 가지 고통과 굳은 다짐을 아직도 생생히 기억한다. 그러나 시간이 지날수록 무뎌지고 초심을 잃어 가는 내 자신을 발견하면서 반성한다. 그러면서도 그 다짐을 실천하고 유지하는 게 결코 쉽지만은 않다.

세 가지 고통과 다짐에 관해서는 나중 수술 이야기를 할 때 하기로 하고, 농촌살이 이야기로 돌아와 보겠다.

2011년 봄이 찾아온 시기엔 지옥이 시작되었다. 봄이 시작될 무렵이면 농촌은 분주하게 움직인다. 논밭을 갈고 퇴비도 하고 각 분야의 농업은 농기계와 땅과 혼연일체되어 자동화 기계처럼 움직이게 된다.

예나 지금이나 기계치인 나는 처음 관리기를 사용하면서 헤

맺다. 무섭기도 하고 힘을 주지 않으면 원치 않는 방향으로 틀어지기도 했다. 땅속에 조금 큰 돌이라도 박혀 있어 관리기의 로터리 발에 걸리기라도 하면 관리기가 제 멋대로 뒤틀리거나 돌이 뒤로 튕겨 나와 다리에 부딪히기도 했다.

특히 예초기는 더 위험하다. 처음 예초기를 메고 풀을 베려는데 돌아가는 칼날이 왜 그리도 무섭던지 아직도 첫 예초기 작업하던 날이 생각난다. 지금이야 돌이 있건 말건 무조건 휘둘러 버리는데, 그때는 조심스레 움직이면서 예초기를 너무 힘 주어 잡은 탓에 나중에는 손이 펴지지 않을 정도로 아팠었다.

그리고 예초기 작업 중에 여러 가지 일이 있을 수 있다. 가끔 꿩이 새끼들을 돌보고 있어 그 부분만 피해서 작업해야 하기도 하고 때론 뱀을 치기도 한다.

구름이 많은 흐린 어느 날이었다. 흐린 날은 독사가 자주 활동하기도 하기에 늘 신중하게 작업한다. 그런데 풀을 베다가 뭔가 이상해서 한쪽을 보니 예초기 회전에 독사가 놀랐는지 움직이지도 않고 가만히 있는 것이었다. 예초기를 멈추고 날을 사용해 독사를 들어올린 뒤 길가로 이동해서 죽이게 되었다.

예로부터 독사 한 마리를 죽이면 사람 여럿 살린다고 했다. 땅꾼이 없으니 뱀의 개체수가 늘어나 늘 농촌에서는 위협이 되고 있다. 때문에 장화를 신고 다녀야 한다.

언젠가 예초기 날을 잘 갈아서 밭에서 풀을 베던 중 유난히 잘 엉키는 풀이 있는데, 예초기 칼날 쪽에 엉켜 난 풀을 움켜잡는다는 게 그만 예초기 칼날을 힘껏 쥐어 버렸다. 순간 면장갑을 뚫고 칼날이 내 손끝을 베고 말았다.

혈압약을 먹고 있던 터라 아스피린을 복용 중이니 지혈이 되지 않아 피를 조금씩 계속 흘리면서 가까운 병원 응급실로 가서 꿰매게 되었다. 신경이 손가락 끝에 있기에 마취주사가 너무도 아팠다. 꿰매는 데 너무도 아파서 진료 선생님에게 너무 아프다 하니 마취주사를 더 놓았는데, 주사조차 너무 아파서 그냥 꿰매 달라고 해서 고통을 참으며 몇 바늘 꿰매기도 했다.

그리고 약 3년 전, 추석 무렵 예초기 작업 중에 돌이 튀어 나의 오른쪽 다리 정강이를 치게 되었다. 눈물 나게 고통스러웠지만 조금 있으니 가라앉아서 예초 작업을 마쳤다. 실상 보호장구는 눈에 흙이 들어가지 않게 보호망을 쓰는 게 전부이다. 원래대로라면 정강이부터 무릎까지 보호대를 착용해야 하나 농장에 없었고 구입조차 할 생각을 안 했던 것이다. 사실 지금도 없다.

어쨌든 고통이 사라지고 예초기 작업을 마치고 집에 와서 샤워하는데 돌에 맞은 정강이 부분이 엄청 크게 부어 있는 것을 보게 되었다. 상처 부위를 보자 그때부터 통증이 너무 심하게 왔다. 부었다는 것을 알기 전까지는 전혀 고통이 없었는데 알고 나니 왜 그리도 아픈지, 씻고 나서 병원에 가서 엑스레이를 찍었다. 혹시 금이 가지 않았을까 걱정했지만 다행이도 타박상이라고 하여 약 처방을 받고 귀가했다.

이처럼 예초기 작업하다 풀의 굵은 줄기가 옷을 뚫고 들어와 허벅지 쪽에 박혀 빼내기도 하는 등 별의별 일들이 많았다.

　도림농원 농장에 있는 또 다른 농기계로는 트랙터가 있다. 55마력짜리인데 운전이야 쉽지만 문제는 모 심기 전 논을 갈 때였다. 논에 바퀴가 움푹 들어갈 때 트랙터가 한쪽으로 기울이면 혹시나 전도될까 조마조마하고 못 빠져나오면 어쩌나 늘 노심초사이다.

　모내기철이 되면 늘 힘들었다. 논은 쟁기로 겨울에 미리 갈아 놓아 로터리 작업만 하면 된다. 사실 트랙터 뒷부분에 쟁기를 떼어내고 로터리 발을 부착하는 게 가장 짜증이 나는 일이다.

　쟁기는 양쪽 하나씩만 맞춰 끼우면 되는 간단한 것이지만 로터리 발은 양쪽 끼우는 부분을 조절하고 로터리 중심부와 연결하는 부분을 끼우는 게 쉽지 않아 특히 더운 여름날에는 짜증도 나고 기운 빠지기도 한다.

　5월 모내기 전 모가 잘 심어지도록 논에 물을 대고 로터리 작업을 하여 일명 날개를 펴서 작업하는데, 이를 써래질이라고 한다. 써래 작업은 양쪽으로 날개 부분을 쫙 펴서 논을 고르게 펴주는 것이다. 아무리 잘한다 해도 사람이 일부분은 들어가서 평평하게 골라야 하지만, 그래도 확실히 작업이 수월하다.

　트랙터 작업 중 로터리 작업이 고르게 되는지 흙이 고르게 골라지는지 뒤를 수시로 돌아보면서 살피다 보니 너무도 머리가 아파 온다. 트랙터의 매연도 더운 날의 고통을 크게 배가한다.

　그리고 또 하나의 장비로는 굴삭기가 있다. 굴삭기는 1톤이 살짝 안 되어 순수 농업용이라 면허가 없이도 작업이 가능하다. 소형이라 나무 사이사이로 들어가고 웬만한 나무 작업도 혼자서 가능하다.

땅 속에서 큰 돌이 나오면 무조건 캐내는데 어떨 때는 아주 큰 바위가 나오기도 한다. 그럼 한국인의 의지를 발휘해 기어코 캐 내고야 만다. 그때 성취감과 후련함이 공존하면서 시원함을 안겨 주기도 한다.

굴삭기가 워낙 작다 보니 장난감처럼 보이기도 하고 사람들이 신기해하기도 한다. 그러나 몸집이 작기에 오히려 더욱 조심해야 하며 균형을 잃게 되면 전도되는 사고가 빈번하다고 하니 늘 안전에 신경을 쓰고 주변을 잘 살피게 된다.

장비가 없으면 농사짓기는 너무도 어렵다. 지금은 각종 장비들이 농부들에게 큰 도움을 주기는 하지만 농기계 가격 자체가 너무 비싸다.


\#

농촌에서 사람들이 많이 모이는 곳은 어디일까. 물론 여러 장소들이 있지만 그중에서 하나를 꼽자면 전통시장이 아닐까 한다. 어릴 적 느끼던 분위기는 사라졌지만, 5일마다 장이 서는 전통시장은 아직까지 구경하는 재미가 있다. 다양한 물건도 다양한 사람도 구경할 수 있는 곳이다.

특히나 따스한 봄날 주말에 장이 열리면 상춘객은 물론이고 전통시장 뒤쪽 뚝방마켓이 열리고 전통시장을 찾는 관광객들도 늘어난다. 아장아장 걷는 아이부터 유모차를 타는 아이들, 엄마 아빠 손잡고 가는 아이들은 왜 그리도 예쁜지 모르겠다.

따스한 봄의 햇살과 퍼지는 꽃향기를 느끼며, 살랑살랑 불어오는 봄바람에 몸을 맡기고 여행을 떠나 본다. 어쩌다 시원한 바람이 불면 벚꽃 눈이 날리고 어디선가 다가와 스쳐가는 천리향 향기는 꿈의 궁전으로 나를 이끈다. 그럴 때면 잠시나마 동화 속 주인공이 되어 꿈을 꾸지만 현실은 생업에 전념해야 하는 농부이기에 봄날의 꿈을 날려 보내고 내 일에 전념한다.

나는 2월 중순부터 5월 초까지, 그리고 10월 중순부터 12월 중순까지는 곡성 5일장인 곡성기차마을전통시장에서 묘목 장사를 한다. 장사를 나가는 날은 너무도 피곤하고 힘들다. 누구나 마찬가지이겠지만 사람을 상대한다는 것은 여간 스트레스가 아닐 수 없다. 하지만 때로는 손님과 언성을 높이는 일도 있는가 하면 즐겁게 웃으면 재미있는 일들도 생긴다.

장사하는 곳 바로 앞에 누군가가 주차를 할 때면 시비가 붙기도 하고 "여기가 니 땅이냐!" 하면서 막무가내로 구는 무개념의 사람들도 있다. 가격이 싸네, 비싸네 묘목이 어쩌네, 저쩌네 하면서 어정쩡하게 묘목을 아는 사람들이 말도 안 되는 말을 늘어놓기도 한다. 그런 사람들을 만나면 기운 빠지고 괜한 시비를 피하기 위해 대꾸도 안 해 버린다.

또한 누군가 나무를 보고 있으면 나는 다가가서 뭐 찾는 게 있으시냐, 어떤 거 찾으시냐 묻는데, 종종 그냥 나무만 보면서 아무런 대꾸가 없는 사람이 있다. 그럼 한 번 더 물어본다. 순간 나는 '말을 못하시나? 귀가 안 들리는 걸까?'라고 생각하지만 다들 멀쩡한 사람들이다. 그러고는 말도 없이 휙 가 버린다. 말 한마디 하면 큰일이 라도 나는 것인가.

날씨가 추운 겨울 장날에는 큰 깡통에 장작불을 지핀다. 시장은 바람 길인데다가 야외라서 바람막이가 전혀 없다 보니 가만히 있으면 너무 추워서 불을 지펴야만 견딜 수 있다. 아무리 내복을 입고 옷 몇 겹을 입어도 불이 없으면 도저히 견딜 수가 없다. 더구나 곡성은 상당히 추운 지역이라 야외에서는 웬만해서 견딜 수 없으니 말이다.

장작불을 지치면 지나가는 사람들도 불을 쬔다. 그렇게 장작불 근처는 야외 사랑방이 되기도 한다. 옹기종기 모여 이런저런 이야기를 나누며 웃음꽃을 피우기도 한다. 겨울에 불은 사랑인 것 같다.

#

꿈같았던 겨울의 시간들 덕분에 나는 게을러졌다. 나갔다가 어느새 귀가한 뱃살들이 나를 더더욱 힘들게 했다. 일은 더더욱 힘들게만 느껴졌지만 그래도 농촌에서는 부지런해야 살 수 있기에 악착같이 버텼다. 왜 군대에서 휴가를 그리 길게 주지 않는지 알게 되었다. 쉬는 날이 너무 길면 사람이 축 늘어지고 만사 귀찮아지니 말이다.

어릴 적부터 겁이 많아서인지 나는 밭일을 하다 풀을 뽑을 때 아주 커다란 지렁이가 나와도 깜짝 놀라고, 갑자기 개구리가 튀어나와도 놀란다. 여름에는 나무 밭 사이에 난 풀을 뽑으면서 늘 긴장하게 되는데 그건 바로 쐐기 때문이다.

쐐기는 스치기만 해도 몹시 쓰라린데, 여름용 얇은 옷을 입고 있으니 피하기도 어렵고 나뭇잎 뒷면에 붙어 있어 눈에 잘 띄지도 않는다. 쐐기의 쓰라림은 마음의 상처처럼 2~3일은 간다. 씻다가 문질러도 쓰려서 윽 소리가 자동으로 나오니 말이다.

농촌 생활 중에 가장 무서워하는 게 있다. 나는 사람들에게도 이렇게 이야기한다. "나는 귀신보다 뱀이 가장 무섭다."고 말이다. 농촌에서 일할 때는 1년 내내 장화를 신고 다닌다. 흙 밭을 다니기 때문이기도 하지만 봄부터 가을까지는 뱀 때문이기도 하다. 밭이나 논을 다니면 뱀을 자주 마주하게 된다.

일반 잡뱀들과 조우할 경우 뱀은 뱀대로 나는 나대로 놀라서 각자 도망을 간다. 놀라 심장이 빨리 뛰다 보니 내가 살아 있음을 알게 되기도 하지만 문제는 독사다. 독사는 자기에게 독이 있다는 걸 알기에 도망가지 않고 가만히 있다. 그래서 더욱 위험하며 사람들이 모르고 지나가면 물릴 수도 있다. 독사는 흙 색깔이나 낙엽 색깔을 하고 있어 사람들 눈에 잘 띄지 않는다.

난 막대기나 농기구를 가지고 있을 때 뱀을 발견하면 무조건 죽인다. 특히 독사는 살려두면 안 된다. 옛말에 독사 한 마리 죽이면 사람 여럿 살린다고 했다. 더구나 예전에는 땅꾼이라 하여 뱀을 잡는 전문적인 직업도 있었지만 언젠가 뱀이 멸종 위기라는 이유로 땅꾼도 사라져 버렸다. 지금은 어떠한가. 뱀의 개체수가 너무도 늘어나 주택가에서 출몰하기도 한다. 이처럼 뱀은 농촌 살이의 가장 큰 걱정거리 중 하나다.

나는 뱀을 무서워하면서도 스마트폰으로 사진이나 영상을 찍어 페이스북에 업로드를 하곤 했었다. 댓글의 절반은 흥미로워하는 반응이고, 나머지 절반은 징그럽다며 올리지 말라고 한다. 나와 친구를 끊는다고 하는 사람도 있을 정도였다.

그러한 반응을 보니 무서워하는 사람들의 마음도 이해가 되어서 이제는 잘 올리지는 않는다. 사람들은 나에게 묻는다. 우리나라 뱀이 곡성에 다 있냐고. 그도 그럴 것이 페이스북 친구들 중에 뱀 사진이나 영상 올리는 사람이 나 혼자뿐이었다.

내가 뱀을 잘 보는 이유는 뱀을 무서워하기 때문이다. 늘 조심하면서 뱀이 어디서 나타날지 몰라 주위를 잘 살피기 때문에 뱀이 내 눈에 잘 보였을 뿐이다.

뉴스에 잘 보도되지는 않지만 뱀 물림으로 인한 사고는 해마다 증가하는 것으로 안다. 뱀의 종류에 따라 보호종이라면서 죽이면 안 되는 것들이 있다. 그러나 일반 논, 밭뿐 아니라 산에는 더욱 많이 있으므로 일반 노지의 뱀들은 제발 땅꾼들이 잡게 해 주면 좋겠다. 농촌에서 뱀과 풀만 없어도 맘 편히 일 할 수 있을 것 같다.

농촌 생활은 그 특성상 정해진 휴일이 없다. 비가 오거나 눈이 내리면 대부분 쉬지만 일의 특성상 눈, 비가 와도 일을 해야 하는 경우가 많다. 특히 하우스 농사는 더운 시간대를 피할 뿐 늘 일이 가득하다.

내게도 하우스 농사는 아니지만 눈이나 비가 와도 일을 해야 하는 시기가 있다. 바로 2월 중순부터 4월 말까지, 10월 중순부터 12월 중순까지로, 5일장인 전통시장에 장사하러 가는 날이다. 날씨와는 상관없이 나가야 한다. 밖의 노점일지라도 비가 오면 파라솔을 펼쳐 비를 피하고 우의를 입는다. 물론 천둥번개가 치고 폭우가 쏟아질 정도라면 당연히 쉰다.

3~4월은 1년 중 가장 바쁜 달이라 아플 시간도 없을 정도다. 사람들은 내게 이야기한다. 날을 정해서 쉬어 가면서 일을 하라고. 하지만 1년 내내 죽어라 바쁘게 사는 것은 아니다. 일도 때가 있기에 그 시기에 해야 할 일을 할 뿐이다.

난 1년 중 여름이 가장 좋다. 여름이 되면 폭염이 시작되고 아침 일찍 5시쯤 일을 시작하여 오전 9시면 하루 일과가 끝나기 때문이다. 물론 이때는 풀을 뽑거나 예초기 작업, 농약을 치는 일이라 나만의 시간이 많기 때문에 시간적 여유를 즐길 수 있다.

요즘은 농한기가 거의 없다. 겨울에도 일은 늘 존재하며 칼바람이 불거나 눈이 많이 쌓일 때를 제외하곤 매일 농장에 출근한다. 흔히들 집안일은 해도 해도 끝이 없다고 하는데, 농사일도 마찬가지이다. 죽어야 일이 끝난다 할 정도로 1년 내내 끊임없이 일을 하는 게 농촌이다.

나는 봄에 가장 바쁘기 때문에 꽃구경을 한 번도 가 본 적이 없다. 사람들은 우리 농장에 꽃이 피니 꽃구경은 안 가도 되지 않냐고 하지만 난 그런다. "그럼 니가 와서 일해 봐라~." 특히나 벚꽃 필 때 면 많은 사람들이 놀러가서 SNS에 사진을 올리는데, 그 사진을 보면 너무 부러워지다 못해 소원을 빌기 시작한다. 빨리 비바람 쳐서 꽃이 다 떨어지게 해 달라고 말이다.

그리고 일하기 즐겁도록 도와주는 것이 하나 있다. 그것은 바로 라디오를 듣는 것이다. 라디오를 들으며 일하면 시간도 잘 간다. 처음에는 미니 라디오를 휴대하고 다니면서 듣다가, 스마트폰이 보급되면서 지금은 라디오 어플을 통해서 듣는다.

예전에는 라디오를 밭에 가지고 다니면서 듣다가 퀴즈나 기타 하고 싶은 이야기를 문자 메시지로 보내기도 했다. 운이 좋으면 내 이야기가 소개되고 작은 선물도 받을 수 있어 소소한 즐거움이 되었다.

아직도 기억이 생생하다. 개그맨 김경식과 가수 원미연이 진행했던 라디오 프로그램 '두시만세'에서는 전주 0.5초만 들려주고 노래 제목을 맞히는 퀴즈를 냈다. 청취자가 직접 방송국에 전화를 걸어야 했고, 가장 먼저 연결된 사람에게 정답을 맞힐 기회가 주어졌다.

나는 읍내에 볼 일이 있던 차에 차 안에서 라디오로 두시만세를 듣다가 퀴즈 시간이 되어 전화번호 미리 찍어 놓고 통화버튼 누르기를 대기하고 있었다. 그런데 아는 전주 음악이 나와 곧바로 통화 버튼을 눌렀고, 그렇게 연결이 되었다. 두 진행자가 정답을 이야기하라 말하자, 난 "임재범, 박정현의 사랑보다 깊은 상처"라고 답을 말했고, 곧이어 "딩동댕" 실로폰 소리가 들려 왔다. 정답을 맞히고 인터뷰를 하면서부터 난 라디오의 매력에 더더욱 빠지게 되었다.

그 후로부터는 매일같이 아침 뉴스부터 '여성시대', 점심 후에는 '싱글벙글쇼', '두시만세', '지금은 라디오시대'를 들으며 하루를 보냈다. 가끔 지역방송이 편성될 때도 문자나 전화 연결 등에 많이 참여하다 보니 어느새 라디오 청취는 나의 일상이 되었다.

그리고 이후 나는 박준형, 정경미가 진행하게 된 두시만세의 '사투리대전'에서 강원도와 경상도 각 청취자들의 대결에 당첨되어 전라도 대표이자 심판으로 참여하게 되었다. 그 이후 라디오 게시판에 다음 대전에 나를 전라도 대표로 출전하게 해 달라는 글이 줄을 잇기도 했었다.

그렇게 한 달여 후 드디어 내가 전라도 대표로 참가하게 되었다. 그렇게 참 다양한 경험을 하게 되었고, 방송국에서 다양한 선물들을 받았다. 헤어드라이기, 화장품세트, 고기도 있었고, 작년에는 구두교환권도 받았다. 이런 선물을 받는 것도 하나의 즐거움이었다.

가장 최근 라디오에 참여한 것은 2022년 가을 11월초쯤 기억

된다. 밭에서 묘목 작업을 하러 트랙터를 운전하여 도착한 후에 라디오를 들으며 잠시 쉬는데 이윤석, 신지의 '싱글벙글쇼'가 진행되고 있었고 추억의 가수 박남정과 연관이 있거나 추억, 이야깃거리가 있으면 문자를 달라는 말에 난 그 즉시 문자를 보냈다.

그리고 약 2분후 '싱글벙글쇼' 작가에게 전화가 왔다. 내 문자가 채택이 되어 전화 연결 전에 테스트 해 본다고 했다. 난 학창시절 박남정 앨범 발매일과 음반사 트랙별 제목 순번과 작사가, 작곡가를 다 외우고 다녔다고 문자를 했었다. 그래서 작가가 나에게 몇 가지 질문으로 테스트하고 잠시 후 전화가 연결되어 약 10여 분간 통화를 했다.

노래 제목을 말하면 내가 작곡가를 맞히는 방식이었고, 속속 정답을 외치고 신청곡을 요청하기에 박남정 잘 알려지지 않은 노래, 2집에 수록된 '사루비아 꽃이지는 이밤도'를 신청했다. 이 곡을 신청하게 된 이유를 묻기에 나는 "그때 당시 템포는 빨라도 가사가 시 적이고 아름다운 글이 우리 마음에 와 닿기 때문"이라 이야기했다. 그 후로는 아직 라디오에 참여한 적이 없다.

예전에 라디오는 우리 일상에서 가장 친근한 매체로, 전파를 통해서 세상 사는 이야기들을 나누는 공간이었다. 학창시절 엽서를 보내 라디오에 내 사연이 소개될 때의 짜릿한 기분을 많은 이들이 기억할 것이다. 지금은 문자 메시지나 라디오 어플을 통해 실시간 소통이 이루어지므로, 아날로그적인 감성에서 느껴지는 여운이 예전처럼 깊게 남지는 않지만 해당 방송을 언제든지 다시 들을 수 있다는 장점이 있다.

이렇게 그때나 지금이나 장단점이 있으니, 지금은 지금의 상황에 만족한다. 요즘의 스타일은 바쁘게 돌아가는 현대 사회의 흐름을 그대로 반영하는 듯하다.

#

나는 1년 중 봄이 가장 바쁘다. 그렇게 꽃향기가 날리는 계절에 일만 하다가, 2011년에 나의 숨통을 트이게 하는 계기가 생겼다. 바로 곡성군농업기술센터에서 1년 과정으로 1주일에 1회씩 참여하는 E-비즈니스 교육이 있는데 귀농자들이 참석하여 받으면 좋을 교육이 있어 부모님께 말씀 드리고 특별한 날이 아니면 나가도 좋다 하여 교육에 참석하게 되었다.

매일 매일 먼지 가득한 작업복에 장갑에 봄이면 손이 갈라지고 모자를 써도 피부는 까맣게 타 버리지만 일주일에 하루는 이렇게 외출할 수 있어서 좋았다. 자유를 누리는 기분이었다.

성격이 워낙 내성적이라 사람들과 쉽게 친해지기도 너무 힘들었고 특히나 발표를 하거나 앞에서 설명이나 말을 해야 할 때에는 너무도 긴장되고 떨려 힘들기도 했지만, 자주 앞에서 이야기도 하고 발표도 자주 해 봐야 는다는 지도교수의 이야기가 아직도 귓가에 맴돈다.

그렇게 어찌하여 1년의 교육과정을 마치고 마지막 수료식날

사업계획서 PPT발표를 했는데, 이날도 어찌나 긴장되고 떨리던지 아직도 그때의 기억이 생생하다. 최종 과정을 마치고 드디어 시상의 시간이 돌아왔다. 나는 출석률을 포함하여 발표까지 여러 점수가 좋아 최종 최우수상을 받는 영광을 얻게 되었다. 마치 온탕과 냉탕을 오가는 기분이랄까. 기분이 너무 좋으면서도 한편으로는 무척 떨렸다.

1년 여간의 곡성농업기술센터 농업인 E-비즈니스 과정이 거의 끝나갈 무렵 3일간의 블로그 교육이 있었고, 또 당시 광주에서 매주 1회씩 저녁마다 무료교육이 있어 거의 3개월간 열심히 교육을 받았다. 그러다가 곡성에서 같이 교육받은 사람들 중 마음이 맞는 사람 4명이서 스터디 그룹을 만들게 되었다.

이듬해인 2012년, 이때만 해도 SNS 열풍이 불어 블로그를 포함한 SNS 교육이 활발하게 이루어졌었다. 나는 그제서야 온라인 마케팅에 눈을 떠 열심히 모여서 공부도 하고 논의도 하면서 즐거운 농촌 생활을 즐기며 살았다. 그해 여름 무렵 우리가 강의를 하게 될 계기가 생겼다. 곡성농업기술센터에서 주관하는 블로그 교육에 내가 강사로서 첫 데뷔를 하게 되었다.

내성적이며 사람들 앞에서 말도 제대로 못하던 내가 강의를 한다는 게 지금 생각해도 놀라웠다. 그때는 제정신이 아니었던 것 같다. 아직도 기억이 생생하다. 곡성레저문화센터에서 오후 1시부터 2시간 동안 강의를 하기에 앞서 점심시간에 스터디 멤버들, 곡성농업기술센터 담당 팀장님, 직원분들과 함께 식사를 하게 되었다.

내가 너무 긴장한 모습이 역력했을까, 팀장님이 "술 한 잔 마시고 용기 내 보세요." 하고 농담했는데, 그 말을 진담으로 알아듣고 한 잔을 꿀꺽 마셔 버렸다. 다들 눈이 동그래져서는 괜찮겠냐며 걱정했지만, 사실 난 술을 못하기 때문에 한두 잔이면 얼굴이 빨개진다. 하지만 긴장에 긴장을 더 한 탓인지 빨개지기는커녕 오히려 더 안정된 듯했다.

그렇게 해서 집에서 연습하고 또 연습한 첫 강의를 무사히 마치고 나니 입이 마르고 다리가 후덜덜 떨리는 내 모습에 웃음이 나오기도 했다. 누가 그랬던가. 처음이 어렵지 두 번째는 쉽다고. 그 말이 딱 들어맞았다. 다음 두 번째 강의 때부터는 긴장감 없이 자연스럽게 이어지는 것이 아닌가. 새삼 나의 적성에 맞는 일인 것 같았다.

지금도 여전히 농사일을 하지만 농사일은 나의 적성에 맞지 않는다. 솔직히 너무 하기 싫지만 어쩔 수 없는 여건이기에 하고 있다. 어쨌든 그렇게 나의 첫 강의 데뷔 무대가 성황리에 종료되었고, 나는 자신감을 얻게 되었다.

그 후 여름이나 겨울이면 내가 속해 있는 곡성군정보화농업인연구회 회원들 교육은 대부분 내가 맡게 되었다. 그리고 조금씩 SNS를 통해 나를 알리고 몇몇 기술센터에서 강의도 진행했고, 저 멀리 인천 쪽에서 의뢰가 들어왔지만 대부분 바쁜 농사철인 봄이라 생업이 우선이기에 정중히 거절하고 농사일에만 전념하게 되었다. 여름과 겨울, 그리고 연중에는 저녁시간을 활용하여 강의 활동을 시작해 강사로서의 입지를 조금씩 굳혀 갔다.

곡성군정보화농업인연구회에는 2011년에 E-비즈니스 교육을 받은 후 가입하게 되었다. 그 후 총무를 거쳐서 지금은 홍보단장을 계속 맡고 있다. 우리 단체의 홍보는 내가 책임지고 있을 정도로 나의 자리를 굳건히 잘 지키고 있다. 그리고 해마다 자체 홍보 영상을 제작하여 유튜브에 업로드하며 각 SNS에 공유도 하면서 나름대로의 최선을 다했다.

그러다 한 3년 전부터 전라남도농업기술원에서 크리에이터 부분으로 각 지역마다 특색에 맞는 홍보 영상 공모를 하게 되었다. 우리는 더더욱 합심해서 고민을 했고, 결국 내가 대본을 쓰고 회의를 하면서 진행될 사항을 전하고 수정할 부분을 찾으며 하나씩 맞춰 갔다

해당 농가와 임원진들이 함께 참여했고, 스마트폰 촬영도 대본도 연출도 내가 맡았었다. 그리고 편집 또한 스마트폰으로 하는데 이 또한 내 몫이었다. 난 너무 재미있었다. 물론 대본 쓰는 것부터 아이템을 내는 게 가장 어렵지만 촬영 콘셉트만 잡히면 나머지는 그리 어렵지 않아서 해마다 홍보 영상을 만들 때는 늘 웃으면서 즐겁게 작업했었다.

그리고 가장 힘든 것은 편집이었다. 모바일로 편집을 하다 보니 폰이 너무 작아서 태블릿 PC로 편집 작업을 하게 되었다. 대략 4~5분짜리 홍보 영상을 만들어야 하는데 촬영된 분량은 많

고 하나하나 보면서 살릴 부분을 잡고 버릴 부분 버리고 자막 하나 넣어도 자연스러운지 다시 돌려 보는 과정을 반복하는 것은 상당히 피곤한 작업이다.

5~6시간을 집중해 편집하고, 드디어 영상이 완성되면 먼저 임원진들과 영상을 공유하고 오타나 재편집해야 할 부분들이 있는지 살핀다. 그렇게 이상이 없으면 완성된 자료는 곡성농업기술센터 담당 팀장님에게 제출한다.

작년까지는 장려상을 받아서 늘 아쉬웠는데 올해 2023년에는 대상은 아니지만 최우상을 수상하게 되었다. 우리 곡성이 받는 상이기에, 내가 이 단체에서 이렇게 뭔가를 하면서 기여할 수 있다는 게 너무도 좋았다.

올해는 체리를 주제로 했는데, 영상 중간과 마지막에 에필로그로 나의 목소리와 손이 나온다. 마술처럼 편집을 하여 단순히 봤을 때 '우와!' 할 수도 있다. 유튜브에 '곡성체리'나 '곡성군정보화'를 검색하면 나의 채널에서 지금까지의 홍보 영상을 볼 수 있다.

우리 곡성군정보화농업인연구회의 한상길 전 회장님 현직 김찬룡 회장님, 이 두 분의 티키타카는 한편의 코미디를 보는 것 같다. 영상 촬영을 할 때나 회의 후 식사 때나 늘 티격태격하면서 형·동생 관계임에도 막말을 하면서 재치 있는 단어들로 주변 사람들을 늘 즐겁게 해 주시는 두 형님들, 늘 건강하게 오래도록 봅시다.

2024년도에는 어떤 주제로 어떤 재미있는 홍보 영상을 만들게 될 지는 내년의 몫으로 남겨 두겠다.

#

다시 과거로 돌아가, 2011년 말 농업인 e-비즈니스 교육을 함께 받은 사람 중에 전라남도 민원메신저 활동을 하시는 분이 계셨는데, 내게 민원메신저 활동을 함께 해 보자고 제안을 주셨다.

전라남도 각 지역에서 주민들의 불편 사항이나 각종 해결해야 할 민원들을 수집하여 전용 홈페이지에 게시하면, 도청 담당자가 해당 지자체에 민원을 송부하고, 그 민원을 처리해서 결과물을 다시 회신하는 시스템이다. 나는 그렇게 2012년부터 곡성에서 사회적 활동을 시작하게 되었다.

봄·가을에는 농사일 때문에 오프라인 활동이 어렵지만 온라인 활동은 꾸준하게 열심히 하여 민원메신저 1년차에 우수 민원메신저로 도지사 표창을 받는 영광을 안게 되었다. 도지사상은 처음이다 보니 이루 말할 수 없이 기분이 좋았고, 더더욱 열심히 활동을 해야겠다는 생각이 들었다.

그리고 2013년부터 7기 민원메신저 활동이 시작되었다. 이때부터 난 신규 민원메신저들의 홈페이지 사용 방법을 교육하게 되었다. SNS 마케팅 강사로 활동을 하고 도지사 표창까지 받았으니 도청 담당에서 내게 신규메신저들의 교육 강사가 되어 달라고 했고, 그렇게 몇 년간 그 일을 진행하게 되었다.

그리고 지금도 민원메신저로 꾸준히 활동하면서 자주 연락하고 지내는 선배님이 계신다. 나주에서 인근주유소를 운영하시는 장인근 선배님으로, 전 북부권 권역장과 도 대표를 하셨다. 통화할 때면 늘 반갑게 맞아 주시고 나와 코드가 잘 맞으며 유쾌한 분이다. 나와 성이 같아서 더욱 친근한 장인근 선배님은 항상 날 응원해 주신다.

그리고 2023년 민원메신저 도 대표로 순천에 계시는 이소현 대표님은 늘 주변 사람들을 잘 챙겨 주시고 정이 많은 분이시다. 이소현 대표는 현재는 도 대표로서 주변 사람들을 잘 챙기며 오늘 하루도 보람을 찾고 계신다. 내가 입원해 있는동안 몇 번을 오셔서 위로를 해 주심에 감사를 드린다.

이소현 대표님이 계속 먹고 싶은 게 있다면 이야기하라 하시기에 마지못해 포도 2송이와 사과 몇 개만 사다 주시면 고맙겠다고 했더니, 다음 주에 포도, 사과, 복숭아를 작은 상자채로 사 오셔서 너무도 고맙게 맛있게 먹고 나눠먹기도 했다. 그건 지난 여름날의 기억으로, 아직도 생생히 떠오른다. 수술 전에도 내가 먹고 싶은 음식을 사 주신다고 두 분이 함께 오셔서, 같이 모처에서 만나 맛있는 음식을 함께 나누었다. 그때도 내게 계속 응원도 해 주셨다.

민원메신저는 동, 서, 남, 북부 4개의 권역으로 나뉘는데, 내가 사는 곡성은 북부 권역이다. 나는 오랜 시간을 여기서 활동했지만 선천적으로 내성적인 성격이 나아지지 않아, 모임을 나가면

일부 사람과만 알고 지내고 나머지 분들과는 그냥 멍하니 앞만 보고 있었다. 그런 내 모습이 참 거시기하다.

물론 처음 활동 당시 친분을 쌓았던 분들이 다들 그만두시고 새로운 분들이 많아진데다 코로나19로 인하여 오프라인 활동이 제한되기도 했기에 모르는 사람들이 많이 늘어났다. 그래서 전체 모임은 물론 권역 모임에서조차도 여전히 어색해하고 있는 나 자신을 발견하게 된다.

그 후 또 한 번의 도지사 표창을 받고 나름 열심히 활동했다. 바쁜 농사철에는 여전히 오프라인 활동이 부진했지만 온라인에서만큼은 나름 열심히 해 왔고 지금 현재도 활동 중이다. 언제까지 할지는 모르겠지만 우리 지역 주민들의 불편함이 없도록 잘 살피고 잘 청취하면서 민원이 빨리 해소되기를 바라는 마음으로 하는 데까지 열심히 하련다.

그리고 2014년 가을 광주에서 몇몇이서 재능기부로 블로그나 페이스북 등 강의를 종종 하다가 한국시민기자협회와 인연이 되어 함께 활동을 하게 되면서 나의 또 다른 활동 사항이 생겨났다. 바로 취재기자 일이었다.

기자아카데미의 교육을 받고 시험도 치르면서 기자로서의 본분과 기본 소양에 관한 교육을 받고 보도자료 작성하는 방법 등을 배웠다. 그렇게 보도자료를 써 보기도 하고 포털 언론사들의 기사들을 보면서 작성 형태를 분석하고 나만의 것으로 만들면서 기사를 생산하기 시작했다.

특히나 한국시민기자협회는 각 지역에서 일상에서 일어나는 따뜻하고 소소한 이야기로 기사를 만들어 가자는 취지도 있었다. 뉴스를 보면 각종 흉악 범죄나 안타까운 소식들이 도배를 하다시피 한다. 이런 상황 속에서 따뜻한 뉴스를 생산하고 전파하자는 취지에 공감해 더욱 기자로서의 역할을 열심히 해 오고 있다. 가짜 뉴스가 아닌 진짜 뉴스를 전달하기 위해 힘쓴다.

내 주변, 우리 삶의 주변에서 일어나는 여러 가지 행사나 지역 소식 관련 보도자료를 받아서 직접 물어보고 취재한다. 복사, 붙여넣기는 하지 않는다. 그렇게 기자로서의 역할을 지금도 앞으로도 충실히 할 것이다. 현재 데스크로서 기사 승인을 하면서도 일부 오타나 내용을 수정하고 기본을 벗어난 내용이 많으면 반송하고 반송 사유를 남기는 일도 한다. 그렇게 다시 수정해서 올라오는 기사를 볼 때면 나름 보람도 찾게 된다.

2013년 연초에 곡성군청 홈페이지를 보다가 한국벤처농업대학에서 교육생을 모집한다는 게시글을 보고 관심이 쏠리기 시작했다. 1년 과정이며 충남 금산군에 위치한 학교로서 한 달에 한 번 토요일과 일요일에 진행되는 1박 2일 과정으로 농사일에 크게 부담이 없을 것 같아 교육 신청을 했다.

전국에서 각 농업인들이 모인 곳이라 각양각색, 다양한 개성의 농업인 CEO들이 함께 한자리에서 나름대로의 노하우들을 공유하고 정보들도 나누었다. 그렇게 많은 인적 네트워크를 형성하기도 했다. 그리고 학교에는 여러 동아리들이 있었고, 그중에 어느 한 곳이든 의무적으로 들어가야 했었다.

난 SNS 강의를 하던 터라 교수님께 말씀드리고 아예 SNS 동아리를 만들게 되었다. 학교에 일찍 도착해서 블로그와 페이스북 등 활동을 했다. 한국벤처농업대학의 선배이신 금산의 '청정인삼' 대표님의 배려로 청정인삼 사업장을 교육장으로 사용할 수 있게 되었고, 그렇게 SNS 동아리의 활동도 나름 활발하게 진행하게 되었다.

또한 동영상 편집에 관심도 많았다. 이때만 해도 영상 편집 작업은 모바일이 아닌 PC에서 했었다. 틈틈이 학교에서 행사나 기타 재미있는 장면들이 있을 것 같으면 사진은 기본이고 영상을 꼭 찍어서 남겼고, 이듬해 2014년 봄 졸업을 앞두고 교수님께서 1년간의 추억이 될 재미있는 영상을 만들어 줄 수 있겠느냐고 제안하셔서 기꺼이 응했다.

그간 영상을 확보해 놓았기 때문에 큰 무리가 없는 일이었다. 그래서 13기인 우리 졸업식과 동시에 14기 입학식이 진행될 때 내가 만든 영상이 계속 화면에 흘러나와 재미있게 웃는 교수님들과 동기들의 모습에 너무도 흐뭇했다.

졸업식날 졸업장을 받으면서 1년이라는 시간 동안 내가 한국벤처농업대학교에서 무엇을 배우고 무엇을 내 것으로 만들었는지 되새기게 되었다. 그리고 졸업장에 더해 1년간 결석 없이 참석하여 개근상을 받고, 공로상을 수상하게 되어 더욱 뿌듯했으며, 모범상까지 받아 1년간의 시간이 헛되지 않았음을 다시

한 번 느꼈다.

　귀농 후 처음에는 부모님댁에서 지냈었다. 이후 주변의 집을 찾아보았으나 읍내에 아파트를 구하기가 어려워서 일단 마을 주택을 찾게 되었고, 이듬해에 이사를 하고 정비하여 살게 되었다. 위치가 마을 회관 옆쪽이라 마을 주민 분들이 자주 오가는 곳이었다.

　그리고 2015년 어찌어찌 마을 이장을 맡게 되면서 내 시간이 줄어들었다. 일을 마치면 회관에서 이것저것 서류 자료를 취합해야 할 것들도 많았고, 일부 주민들 간의 트러블로 중간에서 난처한 경우도 발생했다. 내가 어릴 적부터 봐왔던 주민분들인데 시간이 지날수록 힘듦의 정도가 점점 심해졌다.

　2016년 초 뭔가 몸 상태가 안 좋아졌음을 직감하고 병원에 가니 고혈압과 부정맥이라는 진단을 받았다. 그 후로는 정기적으로 검사를 받고 약을 처방받아 현재까지도 약을 달고 살고 있다. 어쩌면 직장생활을 할 때부터 조금씩 누적된 스트레스 때문이 아닌가 싶다.

　난 워낙 내성적인 성격이라 예나 지금이나 모든 걸 혼자 속으로 삭히는 게 습관이 되었다. 그러다 보니 암이 언제부터 시작되었는지 가늠을 할 수가 없다. 하지만 지금이라도 건강을 잘 챙겨야 하기에 어떻게든 스트레스를 풀려고 한다. 아무도 없는 곳에서 소리를 지른다거나 운전하면서 볼륨을 높이고 노래를 크게 따라 부르면서 말이다.

농사일을 하다가 잠시 쉬면서 담배 연기에 힘듦을 잊으며 잠시 직장생활을 떠 올려본다. 그러다가 문득 이런 생각이 들었다. '이렇게 퇴사하고 다들 연락을 안 하고 살면 영영 잊혀지겠다.' 그래서 호남(전남북)영업부의 업무직 사원들과 연락하여 정기적인 모임을 추진하자고 이야기했고, 모두 동의하여 분기에 한번씩 1박 2일로 모이기 시작했다.

모임에 참여하는 사람들은 대부분 현직 근무자들이고, 퇴사자는 나를 포함해서 두 명이다. 난 일을 조금 일찍 마치고 그리 바쁘지 않을 때는 1박 2일간의 일정을 그들과 함께했다. 그렇게 지난날들을 회상하면서 즐거운 시간들을 보내며 추억을 쌓아 갔다. 이런 게 바로 살아가면서 얻는 활력소이자 재미가 아니겠는가. 이 또한 훗날 추억할 수 있는 시간이 될 것이었다.

그러나 지금은 모임이 중단된 지 몇 년이 흘렀다. 회사의 인수합병과 조직의 통폐합 그리고 인사이동 등으로 더는 모임이 유지되지 않았고, 연락도 안 하고 지내게 되는 실정이다.


\#

2016년 11월 마을 주택에서 읍내 초등학교 앞에 위치한 아파트로 이사를 하게 되었다. 이사를 하기 위해 한 달여 전부터 집 정리를 하면서 버릴 것은 버리고 정리할 것은 하면서 이사 전

정리를 했다. 대체 '없이 살아도 살림살이는 왜 이리도 많은지.'

아파트로 이사를 하고 나서 마음은 한결 편해졌다. 이삿짐 정리는 차근차근 하면 되기 때문이었다. 이사를 했다는 것만으로도 마음이 안정되었다. 또 새로운 곳에서 새롭게 살아가자고 마음가짐을 다잡았고, 마을 이장 일도 12월 말이면 끝나기에 너무도 후련했다.

이장 임기를 마치던 날, 같은 테이블에 먼저 와서 앉아 있던 4명이 있다. 누가 먼저 이야기를 꺼냈는지 기억은 없지만 우리 서로 4명이 마음이 맞으니 정기적으로 모여 보는 것은 어떠냐는 제안에 모두 동의를 했고 그만둔 이장들 4명이서 분기마다 한 번씩 모임을 가지면서 나름 즐거운 시간을 가지게 되었다. 지금도 모임은 지속되고 있으며 다들 건강하게 잘 살고 있다.

인원수가 몇 명이 되었건 서로 마음이 통하면 불편함은 하나도 없을 것이고 어디서 무얼 먹건 맛있고 즐거울 것이다. 이런 게 바로 사는 재미가 아닌가 싶다. 나를 포함해서 최석엽, 이정식, 황보연 형님들, 우리 이장 4인방 모두 늘 건강하시게요.

그리고 또 다른 모임이 하나 있다. 이 또한 4명이서 분기에 한 번씩 모이는 모임인데 해태음료에 근무할 때부터 계속 연락하면서 지냈던 사람들의 모임이었다. 사무직이었던 나, 창고장이었던 OO 형님, 현직 영업직 과장인 OO 형님, AS기사를 하신 강수원 형님까지 이렇게 4명이서 지속적으로 모임을 갖고 있다. 안타깝게도 나를 제외하고 나머지 세 형님들 모두 머리가 점점 벗겨지고 있어 세월의 무상함을 그 형님들을 통해 보고 있다. 그리고 수원이 형님과 형수님이 자주 병원에 찾아 주시고 과일 등 여러 가지 챙겨 주셔서 진심으로 감사드린다.

어쨌든 분기에 한 번 모일 때마다 땅따먹기 하듯이 넓어지는 면적을 보면서 반갑게 웃으면서 인사한다. 그런 소스가 참으로 재미있다. 거침없이 이런 이야기에도 함께 웃으면서 반갑게 맞아 주니 이렇게 편할 수가 없다.

한번은 여수에 근무할 당시에 수원이 형님이 나를 "삼식아~!"라고 부르기에 나도 "삼식이형~!" 하면서 맞대응을 했는데 알고 보니 그 형님 친구 중에도 삼식이라는 별명을 가진 친구가 있었다. 웬만한 별명은 삼식이로 통하면서 영업사원에게 "우리 삼식이당에 입당하거라, 공천해 줄게"라고도 했었다. 정말이지 유치하기 그지없지만 왜 그리도 웃겼는지, 아직도 기억이 생생하다.

#

해태음료를 퇴사한 지도 오래되었지만 종종 연락하며 지내는 이존희 부장님은 내가 호남에서 부산으로 발령받아 부산 생활할 때 사택에서 함께 지낼 수 있게, 그리고 금요일 오후에 여수 집으로 일찍 퇴근할 수 있게 많은 배려를 해주신 분이다. 저녁 후 앞 공원길 걷기 운동도 함께했던 기억이 난다. 그때 그렇게 짧은 2개월의 부산 생활이 그리워진다.

걸을 때면 난 mp3를 이어폰으로 연결하여 듣곤 하는데 이존희 부장님의 발걸음이 빨라 따라가기 바빴다. 그런데 어느 날 부장님이 "장 대리~ 걸으면서 노래 흥얼거리는 소리에 사람들이 듣고 쳐다보니 창피해~!" 하시는 것이다. 하지만 난 흥얼거린 적이 없었다. 이어폰에서 음악소리가 흘러나온 게 아닌가 싶다. 아니면 나도 모르게 조그맣게 노래를 따라 부르고 있었을까.

그리고 부산에서 함께 근무했던 형이 있었는데 입사는 내가 빠르지만 나보다 1살 많은 배상국 형님. 하동이 고향이어서 지금은 부근의 진주지점에서 지점장으로 재직 중이다. 오랜만에 통화하다 보면 옛 이야기로 추억을 곱씹으며 잠시 즐거움에 빠지게 된다. 술을 좋아하고 입담이 좋아서 늘 유쾌하고 즐거운 분이라 그분과 함께 있으면 늘 웃음이 끊이질 않았다. 이존희 부장님과 배상국 지점장님과 부산에서 먹었던 오징어순대가 너무도 그리운 오늘이네요.

또한 늘 먼저 전화해 주시는 장성모 지점장님은 여수지점에서 함께 근무하기도 하고 눈이 잘 내리지 않던 여수에 폭설이 내릴 때 사무실 앞에서 함께 눈싸움을 하기도 했다. 그 추억이 아직도 생생하다. 성이 같아 늘 친근하게 대해 주셨던 형님으로 요즘도 먼저 연락을 주신다. 절대 먼저 전화하지 말라 하신다. 참으로 정이 많으신 장성모 지점장님, 형님! 가까이 있으면서도 못 찾아뵙네요.

그리고 해태 본사에서 코카콜라로 넘어간 우리 동생 김나영.

본사 마케팅팀에 있으면서 순천에 휴가 와서 거지꼴로 녹초가 되어 SOS를 쳐 구해 준(?) 인연으로 아직까지 간간히 안부를 전하는 동생이다. 해태음료 근무 시 마케팅 관련 예산 문제나 마감 관련으로 통화도 많이 했고 연애 상담도 내게 했었다. 그랬던 나영이가 지금은 같이 늙어가네.

사람의 인연은 참으로 소중하다는 것을 새삼 느낀다. 이존희 부장님, 장성모 지점장님, 배상국 지점장님 그리고 동생 김나영. 이 소중함이 지속적으로 이어지리라 믿는다.

#

농부로 살아가면서 정보화농업인연구회, 민원메신저 그리고 관상수 모임, 곡성읍농촌중심지활성화사업단, 곡성기차마을전통시장 이사, 협동조합 뚝방 이사 등 여러 개의 활동들을 했다. 이는 그저 개인이 아닌 공익의 목적의 모임으로 일상생활에 소소한 나의 활력소로 자리 잡았다.

2023년 봄, 내가 사는 곡성읍 한양파크빌 아파트 주민자치위원장이자 학정 3구 이장을 맡고 있는 박연구 이장님은 3교대 근무하는 직장 생활을 하면서도 아파트 입주민들을 위해 봉사정신으로 무장한 분이다. 그분이 나에게 자치위원회 감사를 제안하셨다. 사실 몇 해 전에도 자치위원회 감사로 활동을 한 적이 있었는데 몇 년 안 하다가 작년에 다시 제안이 들어와 수락하게 되었다.

그리고 박연구 자치위원장님은 현재 학정 3구 이장도 겸하면서 바쁜 하루하루를 보내고 계신다. 잠자는 시간도 쪼개가면서 아파트를 돌면서 쓰레기를 줍기도 하시고, 주민들과 자주 대화를 나누면서 불편한 점은 없는지 확인하고 부지런히 움직인다.

또한 마을 이장으로서도 게을리하지 않고 전체 마을일에도 신경 쓰면서 사람들의 이야기를 자주 듣고 마을 생활을 개선하려고 노력하는 모습에 감탄했다. 늘 솔선수범이 몸에 배어 있는 그분을 볼 때면 가끔 나 자신이 부끄럽다. 난 감사를 맡고 있어서 장부와 증빙서류 등을 체크하지만 아파트 자치위원회 임원으로서 적극적이지 못한 점이 늘 미안하기만 하다.

그리고 늘 솔선수범과 부지런함으로 입주민들에게는 물론이고 학생들에게도 좋은 본보기가 되어 주시는 이장님은 사회성의 표본이나 다름없다. 입주민들과 학정 3구 주민들에게 늘 칭찬받는 보기 드물게 좋으 분으로 배울 점이 참으로 많다. 한번은 장날에 같이 호떡 사 먹으러 갔다가 하나가 남았는데, 박연구 이장님이 노점 장사를 하시는 어르신에게 호떡 하나 드시라고 건네는 것이었다. 그 모습에 참으로 따뜻한 사람이라고 다시 한번 느끼게 되었다.

그리고 2024년 3월 초 박연구 이장님이 행정공무원들의 추천으로 군수 표창을 하기도 하여 곡성군 전체의 모범이 되기도 했다. 우리나라 정치도 우리 학정 3구 박연구 이장님처럼 마음 따뜻하고 진정 사람을 위할 줄 아는 정치인들로 가득했으면 좋겠다. 그러면 우리나라가 참으로 살기 좋은 세계 최강의 나라가 되지 않을까.

# #

2022년 5월 네이버 검색창에 내 이름 장구호를 검색하면 연예인들처럼 인물정보 검색등록이 되어 내가 나온다. 바로 한국 시민기자협회의 기자이기 때문에 기자로 등록 신청을 했는데 등록이 된 것이었다. 너무 신기해서 지인들에게 링크를 공유하는 데 재미가 들렸다.

그 후로 수상 내역, 위촉장 내역 등록도 완료하니 너무도 뿌듯했다. 명함도 복잡하 게 만들 것 없이 내 이름을 검색만 하면 나오니 좋았다. 사회적 활동들을 하게 되고 각종 상장을 받게 되면서 등록하는 재미도 쏠쏠했고, 가끔씩 내 이름을 조회하는 것도 즐거웠다.

2023년 1월에는 네이버 인물검색에 작가로 등록되었다. 10편의 시집을 E-BOOK으로 출판하여 작가로 데뷔하게 된 것이었다. 내가 아주 오래전부터 가지고 있던 꿈은 바로 내 이름으로 책을 내는 것이었는데, 일단 전자책으로 먼저 내게 되었다.

그리고 약 2개월간 그동안 써 놨던 시에 추가로 시를 써서 2023년 4월 8일 드디어 나의 이름 장구호가 저자로서 적힌 나의 책 '웃음이 필요한 너에게'를 종이 책으로 출간하게 되었다. 이 첫 종이책이 나오기까지 많은 준비도 필요했고 내게 많은 도움이 된 '가볍게 살아도 나쁠 건 없더라'의 저자인 김민서 작가가 큰 힘을 줬다.

이제 진짜 작가가 된 것이다. 너무나도 신기하고 뿌듯하고 이상한 기분이 들었다. 평생 안 될 것 같았던 일이 드디어 이루어지게 된 것이다. 페스트북이라는 출판사에서 교보문고에 책을 처음으로 첫 등록해 주었고, 순차적으로 예스24, 알라딘 등 등록하게 되었으며 그 후 전자책으로도 나오게 되었다. 어쩌면 출판사 페스트북이 나를 내 꿈에 더욱 가까이 데려다 준 게 아닌가 싶다.

종이책을 제작하여 서점에 진열하는 게 아니라, 온라인 주문을 하면 제작되는 형태로 진행된다. 오프라인 서점에 진열되기 위해서는 온라인 판매량이 일정량에 도달하여야 가능하다고 한다. 그러나 난 책이 팔리건 안 팔리건 상관이 없다. 책을 내는 것 자체가 최종 꿈이었으므로 더는 바라지 않는다.

내 책을 차에도 병원에도 집에도 보유하고 있다. 소중한 인연, 소중한 사람들에게 선물하려고 늘 여유 있게 가지고 있으려고 한다. 그렇게 사인해서 드리면 나도 좋고 받는 분들도 좋아하시니 난 너무도 좋다. 글을 잘 쓰지는 못하지만 그래도 계속 써 보려고 한다. 그러다 보면 조금씩 나아지지 않겠는가. 나의 책은 어쩌면 나만의 만족을 위해서 탄생하는 것일지도 모른다. 그러한들 상관없다. 내가 좋으면 된 것이니까.

그러다 보니 지금 이렇게 글을 쓰게 되는 것이고 글을 쓰는 건 평생 나의 과제이기도하면서 나의 소소한 즐거움이자 행복인 것 같다. 나는 글을 잘 쓰는 게 아니다. 단지 머릿속에서 나오는 걸 그대로 받아쓰는 것이다. 일을 하다가도 길을 걷다가도 문득 떠오르는 문장이 있으면 그것이 나에게 좋은 소스가 된다.

사람들은 내가 책을 냈다고 하면 "우와~!" 하면서 대단하고 한다. 나는 약간 머쓱하지만 한편으로 그 순간을 즐기기도 한다. 평소에는 책도 안 본다. 심지어 내가 쓴 책인 '웃음이 필요한 너에게'도 다 안 봤다. 그 정도로 책을 잘 안 본다. 책을 몽땅 사놓고도 앞의 몇 장만 보고 덮어 놓은 게 대부분이라 책 보는 데는 취미가 없었고 지금도 마찬가지이다.

마치 어린아이처럼, 잠들기 전이나 쉬는 시간에 우리 어릴 적 공상과학 만화, 특히 은하철도999처럼 우주여행을 한다거나 비현실적인 드라마처럼 굉장한 힘과 능력을 얻게 되는 상상 속에 빠져 보기도 한다. 그러나 현실로 돌아오면 하기 싫은 일을 하기 시작하면서 하루를 마무리하게 된다.

# 03

## 신장암 투병기

나는 1995년 9월 해태음료 직장 생활을 시작하면서 자취를 하게 되었다. 아침 식사는 그저 남의 이야기로 공복인 채로 하루를 시작했다. 처음 먹는 것은 믹스커피이고, 뒤따라 담배를 피웠다. 그런 생활이 15여 년 정도 이어졌으나, 귀농하면서 어머니댁에서 아침 식사를 하게 되면서 아침 식사도 조금씩 익숙해지게 되었다.

　그리고 아파트로 이사를 하게 되고 특별히 어머니댁에서 먹지 않는 날에는 대부분 믹스커피로 아침을 시작했다. 공복이 제일 속이 편할 때도 있었다. 하루에 커피는 4~5잔 정도 마시고, 담배는 1갑이 넘어가면서 점점 더 늘어나게 되 1갑반 정도까지 피웠다. 건강검진은 국가검진만 해서 약식으로 하다 보니 그냥 그렇게 지나갔다.

2023년 4월의 어느날, 일하다가 잠시 쉬는 중에 스마트폰을 보고 있었다. 그런데 마침 이장이 단톡방에 농협조합원 건강검진 신청자 신청을 받는다 하여 바로 신청을 하게 되었다. 처음으로 국가검진이 아닌 건강검진을 하게 된 것이다. 농협조합원으로서 검진을 하게 된 것도 처음이었다.

　2023년 5월 4일 광주에 위치한 건강검진센터에 아침 일찍 검진을 시작했으며 약간 긴장된 자세로 검진이 시작되었다. 기본적인 검사들을 하고 복부 초음파 검사를 하기 위해 누워 상의를 위로 올린 채로 검사가 시작되었다. 그런데 검사 도중 초음파 사진을 찍는 소리가 계속 들리는 것이었다. 약간은 불안감이 맴 돌았다.

　초음파가 끝나고 선생님이 물었다.

　"초음파 그동안 한번도 안 해 보셨나요?"

　"네. 처음이에요."

　"왼쪽 콩팥에 뭔가가 보이는데 크기가 좀 있네요. CT를 찍어 봐야겠어요."

　그 순간 나는 너무도 긴장되고 겁이 났다. '에이 설마, 그냥 별거 아니겠지.' 하고 생각하고 CT 실로 갔다. CT실 앞에는 많은 사람들이 대기하고 있었다. 한참 기다리다가 드디어 나의 차례가 왔다. 일반 CT가 아닌 조영제 CT라고 한다.

　"주사로 조영제가 들어가면 온몸이 뜨거워짐을 느낄 수 있으니까 놀라지 마세요."라는 담당 선생님 이야기에 잔뜩 긴장했다. 온몸이 뜨거워지고 조금 지나니 약간의 속이 울렁거렸지만 꾹꾹 참으니 견딜 만했다. 그리고 또 다시 대기하고 검사 결과를 듣기 위해 기다렸다가 들어갔는데, 담당 선생님이 말했다.

"왼쪽 콩팥에 암 덩어리가 있네요. 크기가 6.7cm 정도 되네요."

"……."

아무 말도 할 수가 없었다. 아니 무슨 말을 어떻게 해야 할지도, 무엇을 물어봐야 할지도 모르고 멍하니 있었다.

"나가시면 간호사님이 안내해 주실 거예요."

"네……."

어리벙벙하니 앉아 있다가 간호사님이 불러서 어느 병원으로 가겠냐고 묻길래 화순으로 간다고 하니 일정이 잡히면 문자로 통보해 준다고 하고 소견서를 건네주셨다. 그대로 받아들고 주차장에 와서 소견서를 꺼내어 보았다 '좌측 신장암'이라고 적혀 있었다. 신장암 의심이라면 어느 정도 기대감을 가질 수도 있었지만 아예 신장암이라고 적혀 있으니 덜컥 겁이 났다.

그동안 TV나 영화에서만 보던 암이 나에게 현실로 다가오다니 도저히 믿기지가 않았다. 주변 친한 몇몇 분에게도 소식을 전했다. 예로부터 병은 알리라고 했으니 말이다. 그때 당시 민원메신저 도 대표님께서도 암 크기에 놀라 그 병원에 문의도 해 보시고 위로를 해 주셨다. 부모님을 포함해 아이들 동생네도 그리고 외삼촌네도 다 놀라시고, 화순에서 교수를 만나기 전까진 아직 모르는 것이니 너무 걱정 말라며 위로해 주셨다.

하지만 그때까지도 커피와 담배를 여전히 끊지 못했다. 나 또한 별일 아닐 것이라며 현실을 부정하고 싶었고 부정했었다. 내 일상은 평상시와도 전혀 달라진 것 없이 같았다.

2023년 5월 24일 화순병원에 교수를 만나러 가는 날이 왔다. 굉장히 긴장되는 날이었는데, 여수 여서동 김미영헤어의 원장(알고 보니 나중에 입원하게 되는 현송요양병원의 간호사와 친구였다는 걸 알게 됨)이 화순병원 선배로서 동행해 주어 너무도 고마웠다. 신장은 콩팥이기에 담당과가 비뇨기의학과였다.

드디어 담당 교수를 만나는 시간, 자리에 앉으니 CT 영상을 보시면서 교수님이 말했다.

"크기가 상당해서 신장암 2기인 것 같고요. 담배는 끊으셔야 하고 콩팥을 절제를 해야겠어요."

"……."

나는 아무 말도 할 수가 없었다. 콩팥을 절제한다는 이야기에 큰 충격을 받았다. 설마설마 했는데 신장암이라니 말이다. 그러고는 일정표를 보면서 수술날짜를 잡는데 굉장히 밀려 있어서 7월 20일로 날을 잡게 되었다. 그리고 수술하기 전 중간에 2번의 검사 스케줄을 잡아야 했다.

6월 20일에는 뼈 전신 스캔을 하여 전이가 있는지를 살피고, 7월 4일에는 수술할 수 있는 여건이 되는지 여러 검사를 한다고 한다. 이날까지는 담배를 피우며 내일부터는 끊자고 마음먹으며 잠이 오지 않는 밤을 거의 뜬눈으로 보냈었다.

일단 담배를 끊기 위해서는 커피도 끊어야 했다. 믹스커피와 캔커피로 하루에 4~5잔을 마시며 담배는 1갑반 이상을 피워댔으나 당장 끊기에는 큰 어려움은 없었다. 암이라는 큰 위기 앞에서 안 끊을 수가 없었다.

첫날은 견딜 만했다. 약간은 생각나지만 견딜 수밖에 없었다. 무조건 끊어야 했다. 신장암은 고혈압과 흡연이 원인이라지만 스트레스도 한몫했을 거라 본다. 어쨌든 하루가 지나고 둘째 날 저녁에 아직 버리지 못한 담배를 한 개비 들었다. 담배 맛이 절반은 거의 이상해지고 있었다. 맛이 없어지고 속이 약간 안 좋아지려는 느낌이 확연히 들었다.

셋째 날은 그냥 그렇게 지나갔다. 담배 생각은 여전했지만 참아 냈다. 넷째 날 저녁, 나는 이런 생각을 했다. '엊그제 저녁 편 담배 맛이 이상했다. 오늘 하나 더 피워 보자. 그래서 맛이 이상해지면 이참에 잘 끊을 수 있겠다.' 그렇게 담배 한 개피를 물고 불을 붙였다. 역시 예상대로였다.

담배 맛은 너무도 이상했고 속이 약간 울렁거리면서 이러다 구역질을 할 것 같았다. 바로 담배를 꺼 버렸다. 집으로 들어와 남아 있던 담배 몇 갑을 뜯어서 담배를 산산조각 내서 쓰레기통에 버렸다. 커피와 담배는 의외로 쉽게 끊을 수 있어서 참으로 좋았다

그러나 다음 날부터 큰 문제가 생겼다. 바로 금단증상이 나타난 것이었다. 커피와 담배를 한 번에 중단하니 왜 그리도 허기

가 지는지, 밥을 먹어도 배고프고 먹어도 또 허전함이 느껴져 매일 매일 너무 많이 먹어 체중이 금세 불어났다.

그렇게 체중이 95kg이 넘어갔다. 이러다가는 암보다 다른 병으로 먼저 죽게 생겼다는 생각에 정신이 번쩍 들어 먹는 것을 자제하며 참는 연습을 혹독하게 했다. 그렇게 다시 체중이 줄어들고 원래대로 돌아왔다. 이로서 믹스커피와 담배는 완전히 끊었고 지금도 전혀 손대지 않으며 담배연기 근처에도 가지 않는다.

2023년 6월 20일에는 화순병원에서 전신 뼈 스캔을 했고, 그다음 주 28일 오전에 화순에서 뼈 검사 결과를 봤다. 검사 결과 다행히 아무 이상이 없다는 교수님의 이야기를 들었다. 그렇게 7월 4일에는 기본 검사를 해서 이상 없음을 확인하고, 7월 13일 전남대학병원에서 추가 검사를 해야만 했다.

몇 해 전 모 병원에서 표피낭 제거 간편 수술 도중 국소마취 쇼크가 와서 혈압이 떨어지고 의식이 약해지는 등의 한바탕 소동이 있었다. 그래서 광주에 위치한 전남대병원에서 국소마취제 알레르기 반응 검사를 하고 이상 없음을 확인했다.

수술은 7월 20일이었지만 수술 이틀 전에 사전 입원을 해야 한다고 한다. 그래서 7월 18일 오전에 병원에 가서 신속항원검사를 한 뒤 음성확인서를 지참하고 퇴원 시 운전이 불가하기 때문에 큰 조카가 날 병원까지 데려다 주었다. 더구나 폭우가 쏟아지는 날이라 입원 수속을 하여 병실을 배정받았고, 조카도 잘 도착했다는 소식에 안심을 했다.

난 늘 새로운 환경을 접하면 긴장하는데, 병원이라 그런지 그런 긴장감은 없었던 것 같았다. 단지, 잠을 제대로 잘 수 있을지가 걱정이었다. 그렇잖아도 집에서도 숙면이 어려운 상태인지라 잠자리가 바뀌면 더욱 못자는 체질인데 잠이 제일 걱정이었다.

이날부터 수술 후 퇴원하고 요양병원에서 지내는 2개월까지만 하루하루 나의 일과를 기록했는데 추석이 다가올 무렵부터는 게을러져서 기록을 남기지 않았다. 이제부터 다이어리에 기록한 글을 토대로 적어 본다.

전남대학교 화순병원의 저녁 식사는 18시부터이다. 나는 신장암 수술을 해야하기에 저염식 식사와 평소 먹던 양의 1/3 수준의 양이 나와 저녁에 허기짐이 있지만 견뎌 냈다. 첫날이라 따분하기도 하고 누웠다가 일어났는데 약간의 어지럼증을 느꼈지만 금세 괜찮아졌다.

재작년부터 해마다 이석증 증세가 나타나 극심한 어지러움을 겪다 보니 이 또한 공포의 대상이 되었기에 늘 조심해 왔다. 저녁 식사로 시작하게 된 병원생활, 적은양의 첫 끼에 배가 얼마나 고팠는지, 그날 다이어리에 적어놓은 글귀를 적어 본다.

「이렇게 적은 양의 저녁 식사가
 너무도 오랜만의 병원 생활이
 아직은 낯설지만 마음이 고프다.
 천성적인 나의 성격 탓일까

내성적인 망할 성격 탓일까

그렇지만 이젠 무뎌져 가는 것 같다.

이제는 먹는 걸 참아 내야 하고

이제는 고통도 이겨 내야 하고

앞으로 모든 걸 견뎌 내야 한다.

허기진 나를 놓고 글을 끄적인다

글을 쓰면서 나의 배고픔을 글자로 달래 본다

배가 아닌 마음을 채운다.

어쩌면 내가 나에게 극성일까.

이곳에 입원한 많은 사람들과 이곳을 거쳐 간 사람들

그리고 앞으로 거쳐 갈 사람들 모두가

불안한 마음을 가슴 한쪽에 숨기고

쓰디쓴 웃음으로 감추려 하지만

이곳 모든 사람들은 알면서 모른 척

그저 나 자신만 생각할 뿐

배가 고픈 것처럼 마음이 몹시 고플 것이다.

그럴 때마다 지나 온 시간들을 뒤지며

즐겁고 꿈 많던 시절의 추억을 꺼내어 맛있게 먹으면

허기진 마음을 채울 수 있을까?

어쩌면 채워도 채워도

다 채우지 못하는 게 우리의 맘이자 삶일 것이다.

추억을 꺼내 먹으며 미래를 생각하고

나의 앞날의 밑거름으로 삼아

오늘도 이렇게 살아간다.

환자도 간병인도 간호사도 의사도

그리고

나도……」


이렇게 제목은 없지만 첫날 그냥 써 내려갔던 글을 지금 다시 보니 그날의 느낌이 확 다가온다.


\#

입원 2일차인 2023년 7월 19일 수요일. 더운 여름인데다가 좁은 2인실에 에어컨은 빵빵하게 켤 수가 없는 실정에 잠자리도 바뀌어 자는 동안 몇 번을 깨서 뒤척였다. 정말이지 한시라도 빨리 수술하고 이곳에서 벗어나고 싶은 마음이 너무도 간절했다.

그러다 아침 7시에 눈을 뜨고 개운하게 샤워를 하니 그제서야 배고픔을 느꼈다. 아침 8시에 식사가 나왔는데, 아침밥이 어찌나 반갑던지 아침을 잘 먹지 않던 난 그릇을 전부 깨끗하게 비우고 최강의 컨디션을 자랑하고 있었다.

오늘 기나긴 하루를 어떻게 보내야 시간이 금방 흐를까. 일을 한다거나 사람들을 만난다면 금방이겠지만 병실에서 가만히 있는다는 게 너무도 크나큰 곤욕으로 다가왔다. 챙겨 간 태블

릿 PC를 켜고 유튜브로 지난 예능이나 쇼츠 영상을 보면서 그럭저럭 둘째 날의 해가 기울어지고 있다.

저녁 식사 전 오후 5시 15분. 간호사 선생님이 관장 좌약 2개를 가져오셔서 내일 원활할 수술을 위해 조치를 해 주었다. 내일 수술 시간을 물어보니 오후 3시 30분으로 잡혀 있단다. 수술 시간은 약 2시간 정도 소요될 것이고 복강경 수술을 진행하고 콩팥 하나를 절제하고 꺼낼 때는 절제를 해서 꺼낸다는 이야기를 들었다.

이제는 긴장감이 스멀스멀 피어오르고 있지만 어차피 난 자고 있을 동안에 수술이 진행되기에 큰 걱정까지 되지는 않았다. 오늘 오전에는 마취제 반응 테스트를 하고 저녁에는 항생제 반응 테스트 검사를 하며 밤 12시 이후엔 금식이라고 하니 수술 한다는 게 드디어 실감 나기 시작했다. 약간의 긴장감도 동반됨에 따라 두려움도 생겼다.

#

7월 20일 목요일. 입원 3일차 아침이 밝았다. 난 밤새 긴장과 걱정으로 뒤척이며 잠을 설치고 새벽 4시쯤 깨어났다. 다시 잠을 청했지만 그저 눈감고 누워 있는 상태로 버티다가 5시에 혈압체크를 하고 나서 샤워를 했다. 그러고 나서야 정신이 그나마 개운하고 맑아졌다.

오전 7시가 되어서 양손에 수액을 연결하고 9시에는 치과에

갔다. 병원 내에 있는데 전신마취 후 기도 확보를 할 때 치아가 흔들리거나 깨지는 경우가 있다고 한다. 난 1개의 치아가 살짝 흔들림이 있어 의료용 실로 옆 치아와 묶어 흔들림을 최소화하도록 조치했다.

당초 수술 예정 시간이 오후 3시 30분이었는데 시간이 지나도 소식이 없었다. 마음의 준비를 하고 있는데 시간이 자꾸만 흘러가니 더더욱 초조해졌다. 간호실에서는 수술이 밀리고 지연되어서 그러니 조금 더 기다려 보자고 했다.

속은 공복이지만 수액 탓인지 그렇게 배고픈지 몰랐다. 그저 빨리 수술실에 들어가기를 바라며 기다리는 것도 지쳐 갈 무렵, 오후 5시쯤 수술실 호출이 와 병상 이동을 했다. 누워서 가는 동안 긴장감이 나를 휘감았다.

수술실 입장 전 대기실에서 이름, 수술 부위 등을 다시 확인했다. 각 의료용 기구들 사이로 누워 있는 나 자신의 모습이 무서웠고 불쌍하고 너무 미웠다. 내가 어찌 살아 왔기에 지금 이렇게 수술실에 와 있는 것일까. 무슨 큰 죄를 지었기에, 내게 이런 고통이 온 것일까……

마취제가 들어가고 선생님은 "저를 보세요." 한다. 선생님과 지긋이 아이컨택을 했다. 그때부터 수술이 끝나기 전까지 난 나만의 세상에서 지나온 나의 삶을 되돌아보며 잘못된 것은 뉘우치고 바람직하고 더불어 사는 세상 속에서 구성원이 되어 살아가고 싶다는 다짐을 하면서 눈을 떴다.

회복실이었다. 눈을 뜨고 나니 세 가지의 고통이 동시에 밀려오는데 이건 너무도 가혹했다. 그 누구의 도움 없이는 버틸 수도 견딜 수도 없을 것만 같은 고통이 내 입을 떼게 만들었다. 아직도 그때의 느낌이 잊혀지지 않는다. 그 세 가지의 고통 말이다.

첫 번째로 느낀 가장 큰 고통은 바로 수술한 부위의 아픔이었다. "선생님, 너무 아파요……."라고 작고 느린 목소리로 이야기했더니 "곧 진통제 들어가니 조금만 힘내세요."라고 했다. "선생님, 너무 추워요……."라고 또 힘없는 소리로 말하니, "네, 지금 덮어 드릴게요. 바로 따뜻해질 거예요." 따뜻한 온기가 느껴지자 마음이 조금은 안정되었다.

그러다가 또 한 가지 고통을 바로 이야기했다. "선생님, 너무 갈증나요……." "지금은 물을 드실 수가 없어요, 병실 가시면 물 대신 다른 것을 드릴 거고요. 물은 내일부터 드실 수 있습니다." 통증과 추위가 해결되었지만 갈증은 너무도 견디기 힘든 고통이었다. 그렇지만 어떻게 할 수 없는지라 일단 수술을 끝냈다는 것만으로 위안을 삼으며 병실에 도착했다.

시간은 밤 8시 20분 정도가 되었다. 갈증은 입술에 칙칙 뿌려주는 것으로 대체하여 그런대로 견딜 만했고 진통제가 들어감에도 통증이 지속되어 거의 밤 11시까지는 고통에 신음소리를 냈다. 같은 병실에 계신 분에게 죄송할 정도로 극심한 통증이었다. 수술로 인해 지친 몸은 더는 통증에 아파하는 소리를 낼 기운도 없이 간신히 잠이 들었다.

# 04

# 감사의 흔적들

다음 날 7월 21일 금요일, 아침 식사로 죽이 나왔다. 억지로라도 먹어야 해서 침대를 일으키면서 일어나는데 갑자기 어지럽기도 하고 속이 울렁거리더니 헛구역질을 했다. 그래도 어찌 죽 한 숟갈을 떠서 간신히 삼켜 보았지만 다시 뱉었고 결국 빈속에 약만 먹고 다시 누워서 간신히 잠을 청했다.

점심시간에도 마찬가지로 간신히 몸을 일으켜 일어나는데 역시나 아침 때와 마찬가지로 또다시 헛구역질을 해서 한 숟가락도 뜨지 못하고 물만 조금 마시며 약만 간신히 삼키고 다시 누웠다. 정말 고통도 이런 고통이 없는 것 같았다. 몸을 일으켜 세우기만 하면 어지럽고 구토 증세가 나니 지옥과 같은 고통인 것이다.

오후에 어느 정도 정신을 가다듬고 나니 내 몸에 무언가 달려 있다는 것을 알아차리게 되었다. 소변주머니와 피주머니였다. 태어나 처음으로 몸에 이런 것들을 달고 있으니 진짜 큰 환자가 된 듯 느껴졌다. 내 몸과 연결되어 있는 게 불편함이 가장 컸다. 그러나 일단은 일어나지 못하고 누워야만 편해지는 상태인지라 아무것도 못하고 완전히 환자 중의 환자가 된 상태로 지내야만 했다.

그렇게 누워서 지내면서 시간이 흘러 저녁 식사 시간이 왔지만 여전히 구토에 아무것도 먹지 못하고 약만 먹었다. 게다가 약도 토해 내는 듯 했다. 종일 나는 내가 아닌 상태로 하루를 보내야만 했다.

7월 22일 토요일, 눈을 뜨니 아침이다. 상태가 안 좋은 데다 기운도 없지만 잠은 잘 잔 것 같았다. 또 다시 아침 식사 나왔고 몸을 일으켜 앉으니 역시나 헛구역질을 연신했다. 잠시 뒤 헛구역질이 멈추더니 진정이 되었고, 수술 후 처음으로 밥 두 숟갈을 떠서 간신히 먹은 후 약을 먹고 바로 잠에 들었다. 그래도 밥을 먹었다는 데에 큰 의미를 부여했다. 조금씩 회복을 하려고 하는 것같은 느낌이 내겐 강렬했다.

점심 식사 때 몸을 일으켜 세우니 구토 증세가 약간 나타났으나 견딜 만했고 식사는 1/3 정도 먹을 수 있게 되었으며 기운이 조금씩 나더니 오후에는 병실 복도를 조금씩 걷게 되었다. 한 걸음 한 걸음 움직일 때 수술 부위의 통증이 조금씩 있었지만 복대를 차고 있어서 그나마 다행이었다.

그런데 복대 사이즈가 너무 작았다. 내 배에 채우기엔 길이가 너무 짧아서 배를 너무 움켜서 복대를 채우다 보니 배를 압박하여 불편함이 너무도 컸다. 그래도 어쩔 수가 없었다. 저녁 식사도 점심때와 마찬가지로 조금 먹게 되고 구토 증세는 조금은 약해져 마음이 편해졌다. 여전히 기력은 약했지만 잠은 그런대로 잘 자는 것 같았다.

눈을 감았다 뜨니 일요일의 아침이 밝았다. 혹여 어지러움증이 있을까 봐 몸을 천천히 움직여 일어나 세수를 하고 양치를 하며 병실 복도를 왔다갔다 걷기 시작했다. 그렇게 있는데 간호사 선생님이 오시더니 이제 소변줄은 뗀다고 했다. 아윽, 소변줄 뗄 때의 그 쓰라림이란……

아침 식사가 나오고 밥은 이제 절반 정도는 먹게 되었다. 속이 안 좋은 것은 여전했지만 식사량이 점점 늘어나면서 기분도 좋아지고 있었다.

오전에 집에서 부모님과 우리 아들 그리고 동생 내외가 찾아왔다. 난 여전히 피주머니를 옆에 달고 수액을 주렁주렁 단 채로 1층 로비로 내려갔다. 며칠 만에 만났지만 상당히 오랜 시간 죽다 살아나 가족들과 상봉한 듯한 기분이 들기도 했다. 수술도 잘되었고 이제 밥도 먹고 이렇게 걸으면서 아침 점심 저녁마다 복도를 왔다갔다 걸으며 체력도 회복하고 있으니 걱정도 덜게 되었다.

가족들이 돌아가고 나에게 온 것은 점심 식사였다. 점심 식사의 식판을 깨끗하게 비웠다. 이제 속은 더 편안해지고 식욕은 원상 복귀되어 회복하는 데 원동력이 되었다. 저녁 식사 또한 식판을 깨끗하게, 반찬 하나 안남기고 다 먹으니 상당히 기분도 좋았다. 내가 회복되어 가고 있다는 게 느껴졌다.

7월 24일 월요일 아침, 화순전남대병원에 입원한지 7일째 되는 날이었다. 역시나 아침 식사를 맛있게 하고 오전 9시경 피주머니를 떼었다. 피주머니를 떼자 내 옆구리 살에 작은 구멍이 생겨 있는데, 간호사님은 이 상처가 벌어지지 않도록 의료용 스테이플러를 사용할 테니 움직이지 말라고 하신다.

아프다고 움직이면 둘 다 다치니 조금만 참으라고 하셔서 이를 악물고 있는 찰나 스테이플러 한 알이 박혔고, 내가 "으윽~!" 하고 소리를 내는 순간 바로 한 알 더 박히고 나서 끝났다. 와 이걸 그냥 생살에 박다니, 이럴 수가. 너무도 아팠다. 지금 내 옆구리에는 콩팥을 절제하고 꺼낸 자리도 스테플러로 줄줄이 박혀 있는 상태이다. 그리고 담당 선생님이 회진을 와서는 내일 퇴원할 거라 한다. 너무 기쁜 소식이었다. 난 하루 빨리 이곳에서 벗어나고 싶었다. 나는 선생님께 서둘러 질문을 던졌다.

"선생님, 혹시 항암…… 하게 되나요?"

"아니요. 안 해도 될 것같습니다."

우와, 이때 나의 기분은 너무도 좋았다. 항암이 어떤 건지 제대로 알지는 못하지만 보통 방송에서 봐 왔듯이 무지 힘들고 고통스럽다는 인식에 사로 잡혀있어서 항암이라는 단어 자체가 공포였던 것이다. 기분 좋은 상태로 복도를 걷고 있다가 내 수술을 맡아 주셨던 교수님을 만났다.

"아 장구호 님, 수술은 아주 잘되었고요. 체중을 감량하시고 특히 탈수 증세 조심하세요."

"그럼 교수님, 내일 퇴원하게 되나요?"

"네, 내일 특별한 이상 없으면 퇴원합니다."

"고맙습니다. 교수님."

아침 식사를 아주 맛있게 싹싹 비우며 기분 좋은 하루를 보내게 되었다.

드디어 7월 25일 화요일, 퇴원하는 날이 되었다. 새벽 4시에 채혈을 하고 검사 결과 이상 없으면 퇴원한다고 한다. 드디어 오전 10시 10분에 최종 퇴원 결정 통보를 받았다. 나는 옷가지와 비품들을 가방에 정리하면서 너무도 신이 났다. 정말이지 철이 안든 어른처럼 너무 기분이 좋은 상태였다. 간호사님들 그런 날 보고 말했다.

"오늘 최고로 싱글벙글 하시네요."

그렇다. 처음 암 진단을 받고 처음으로 이처럼 싱글벙글 웃으며 기분 좋은 적이 없었다.

2인실이라 같이 방을 썼던 분이 계셨었다. 그분은 전립선암으로 나보다 하루 늦게 퇴원하신다. 예전에 전남도청에 근무하시고 하셨다고 한다. 그분은 내가 힘들어 할 때 도움도 주시고 퇴원할 때 1층 로비까지 짐도 들어 주셔서 아직도 고마움을 잊지 못한다. 진심으로 감사드립니다.

1층 로비에 앉아 나는 잠시 지난 일주일간의 생활들을 떠올려 봤다. 그러다가 다짐을 했다. 다시는 이런 큰 병에 걸리지 않도록 새로운 삶을 살아야겠다. 과식하지 않을 것이며 신장에 자극적인 음식도 피하고 게을러서 못한 운동도 꾸준하게 해서 건강을 유지하는 것만이 내가 살 길이라고 굳게 마음 먹었다.

10시 50분쯤 되었을까. 조카들이 도착하여 내 짐 가방을 들고 차로 안내해 주었다. 나는 드디어 병원을 벗어난다는 기분에 한껏 취해 있었다. 차를 타고 병원 밖으로 나서니 여전히 세상은 잘 흘러가고 있는 듯 보였다. 바깥 공기를 맡으며 퇴원의 기분을 만끽해 본다.

우선 점심을 먹어야 하기에 광주로 나와서 맛있는 점심을 먹고 가까운 카페에 들러 수다를 떨다가 오후 4시쯤 여수에 도착하게 되었다. 지금 내가 있는 이곳 현송요양병원은 여수 시내 진입 전 초입의 약간 낮은 산 중턱에 자리 잡고 있다(2024년 3월 말경 여천역 건너편으로 이전). 차에서 내려 짐을 챙기고 조카들과 병원으로 들어서며 입원 수속을 위해 절차를 밟으니 시간이 오래 걸릴 듯 보였다. 조카들을 마냥 기다리게 할 수 없어서 보내야만 했다.

입원 전 검사할 때부터 챙겨주고 입원과 퇴원을 도와 주며, 다시 요양병원 입원까지 도와주는 착하고 예쁜 조카들이 있어 너무도 고마웠다. 늘 든든하고 스마트한 큰조카와 늘 먹는 것에 관심이고 진심인 둘째 조카는 먹을 것만 사주면 만사형통이다. 그래서 둘째 조카는 성을 돼지의 '돼'로 칭하고 뒤에 이름을 붙여 '돼○○'이라고 부른다. 그래도 좋단다.

어쨌든 요양병원에 도착하자마자 난 입원 상담을 했다. 처음에는 3인실을 예약했다가 뒤늦게 후회되어 1인실로 바꾸려 했는데, 지금 당장은 없다 하니 막막했다. 그러나 어쩔 수 없었다. 1인실이 나올 때까지 3인실을 사용해야 했다.

일단 시간이 시간이었다. 그때가 오후 4시 40분이라 바로 저녁 식사 시간이었다. 컨디션은 최상이었고 배도 고팠기에 저녁 식사를 맛있게 먹고 나서 임시 거처에 앉아 쉬고 있었다. 아침 일찍부터 퇴원 준비에 날도 더웠기에 지쳐 피로가 몰려와 아무도 없는 병실에서 먼저 잠을 청했다.

시간이 얼마나 지났을까 문득 잠에서 깼는데 에어컨은 꺼져 있고 숨이 턱 막혀 왔다. 바로 일어나 간호사실 앞 휴게실 의자에 앉았다. 그때 시간이 밤 10시 반쯤 되었을 것이다. 몸은 피곤하지만 잠은 오지 않고 휴게실 에어컨 바람에 몸을 맡긴 채 멍하니 의자에 앉아서 창가만 바라보았다. 그렇게 바깥 풍경이 전혀 보이지 않는 어두운 밖을 그냥 바라보다 한숨을 내쉬고 앉아 있다보니 어느덧 12시를 향해 가고 있었다.

다시 병실로 들어와 누워 잠을 청했지만 쉽사리 잠에 들지 못하고 이런 저런 생각에 빠졌다. 그리고 애초에 1인실로 예약해 두지 못한 게 너무도 후회가 되었다. 이미 지나간 일 생각해 봐야 의미가 없지만 계속 잠을 설쳤고, 간신히 잠들었지만 새벽 4시 조금 넘어서 깼다.

더는 잘 수가 없어 다시 간호사실 앞 휴게실로 나와 탁자에 앉아 하염없이 어두운 창문만 바라보았다. 그렇게 동이 트자 방으로 들어가 아침 식사를 하기 위해 준비를 했다. 익숙한 내 잠자리가 아니기에 못 자는 것도 있지만 워낙 예민하고 온도 변화에 민감한 탓에 피곤함이 밀려 왔다. 하지만 곧 1인실 배정이 된다는 소식에 안정을 되찾아 갔다.

오전에 내가 앞으로 머물게 될 방을 향해 이동했다. 5층에서 6층으로 간 것이었다. 602호실 문을 열고 들어가니 분리가 된 방 두 개가 나왔다. 세면대와 화장실은 공동이지만 방은 개별이어서 에어컨을 내 마음대로 조절할 수 있고 텔레비전도 내 마음대로, 창문도 내 마음대로 사용할 수 있으니 너무도 기분이 좋아졌다. 상쾌함이 하염없이 밀려오면서 편안한 안식처를 찾은 듯 느껴졌다.

나의 요양병원 생활은 이렇게 시작되었다. 이렇게 나만의 방에서 편안하게 잠을 잘 자는 듯했다. 그런데 문제는 이때부터 생겨나기 시작했다. 역시나 나의 본래의 잠자리가 아니기에 중간에 잠을 몇 번을 깼다. 게다가 새벽 2시에서 3시 사이에 깨면 더는 잠을 잘 수가 없었다.

이후로 평균 새벽 3시 30분 정도면 깨서 소리를 작게 한 채로 텔레비전을 보거나 밖의 주차장을 걷기도 했다. 어쨌든 1인실에서 첫날밤이 지나고 새벽 3시에 깨서 도통 잠을 이루지 못하고 뒤척이다 텔레비전을 보았다. 그리고 아침 4시 조금 넘어서 바깥이 조금씩 환해지면서 주차장을 걸었다. 상쾌한 아침 공기가 나를 맞이해 준다.

주차장 안쪽 구석에는 개 2마리와 산양 2마리가 있다. 진상구 병원장님이 산양 먹이를 주고 뒷정리를 하고 계셔 인사를 하고 한 10여 분간 이야기를 나누었다. 그 짧은 10분이 내게 요양병원 생활에 활력을 불어넣어 준 계기가 되었다. 긍정적이고 낙천적인 생각으로 마음 편안하게 쉰다 생각하고 어디라도 안 좋으면 한방으로도 치료가 되니 절대적으로 마음 편하게 가지라고 말씀해 주셔서 나에겐 큰 힘이 되었다.

병원장님뿐 아니라 요양병원의 모든 직원분들 한 분 한 분이 먼저 인사해 주시고 친절하셔서 금세 친해지기도 했다. 이제 이곳도 절대 불편하지 않은, 나에게 익숙해진 그런 곳이 되어 가기 시작한 것이다.

일단 암 수술하고 요양병원에 입원을 하게 되니 친인척, 지인들의 병문안이 시작되었다. 병실 방문은 안 되지만 1층 로비의 카페에서 접견을 했다. 하루에 3팀이 오기도 했다.

이곳 병원에서의 사람들과의 인연도 시작되었다. 막상 오니 여수에서 미용실하는 친구의 친구가 이곳 요양병원의 간호사로 근무 중인 것이었다. 또한 오랜 시간 알고 지낸 광주 누나의 절친이 이곳 병원 카페에서 근무를 하고 있으니 벌써 두 분과의 관계가 형성이 되었고, 금세 친해지기 시작했다. 그리하여 지금은 상담실장인 김연이 누나, 애교덩어리 이애경 누나, 손재주가 많은 환우 김경아 동생과 친하게 되고 자주 이야기를 나누며 나름 즐거운 병원 생활을 이어 갔다.

특히 경아는 손재주가 남달라서 그림도 잘 그리고 캘리도, 도자기도 잘한다. 그렇게 능력 있고 병원 내에서도 솔선수범하며 실천하는 동생이다. 가끔은 모자를 홀러덩 벗어 던지는 바람에 깜짝 깜짝 놀라곤 한다. 항암으로 인하여 계속 모자를 쓰고 가발을 쓰기도 하는 경아는 항상 밝고 늘 어떤 일이건 열심히고 진정성 있게 하니 다들 좋아할 수밖에 없다.

그리고 나보다 한 살 많은 권혜연 누나가 있다. 참으로 유쾌하고 재미있으며 코드가 잘 맞는다. 어느 날 헤어스타일을 바꾸더니 가수 이소라와 닮은꼴이 되어 나타났기에 노래를 불러 보라고 놀리기도 했다. 또 오랜 항암으로 이마가 조금 넓어져 가끔 이마 땅따먹기 하냐고 놀리며 웃기도 했다. 혜연 누나, 미안해~.

나는 본격적으로 여러 가지 치료를 하고 병원 생활에 적응해 갔다. 어느새 병원의 생활에 자연스레 녹아 있는 나를 발견했다. 환우들끼리도 서로 환한 미소로 인사한다. 그 미소로 하루가 즐거워진다. 마치 마법 같다.

서로가 각자의 아픔을 강인함으로 이겨내기까지의 과정들을 잘 알기에 새로 입원한 환우들과도 트러블이 없다. 서로 격려해 주고 위로하며 정보들을 나누기도 한다. 치료도 중요하지만 서로가 서로에게 힘이 되어 주는 그런 모습들에 마음이 따뜻해졌다.

며칠이 지나 8월 9일 수요일이 되었다. 이날은 화순병원에서 암세포의 조직검사 결과를 듣고 피 검사를 해야 했다. 일단 피검사 결과가 좋게 나오기를 바라면서 화순으로 향하는 내내 마을 졸였다. 병원에서 채혈하고 기다리는 시간은 왜 그리 더디게 가는지. 초조함에 조금씩 지쳐 갈 때 쯤 드디어 내 이름이 호출되었고 교수와 마주 앉았다.

"조직검사 결과 신장암 2기가 맞고요. 피검사 결과 염증없이 깨끗하네요."

나는 안도의 한숨을 내쉬고 3개월 후에 다시 검사 예약을 잡고 병원으로 복귀했다. 일단 염증 없이 깨끗하다고 하니 마음도 편해졌고, '나는 지금 잘하고 있다.'라는 생각에 상당히 상쾌한 마음으로 하루를 마무리했다.

다음 날 아침 일찍 잠에서 깨어 동트기 전부터 주차장을 걸으면서 마음을 다스리며 하루를 시작했다. 새벽이라도 여름인지라 잠시라도 걷고 나면 땀이 주르륵 흘러 운동의 뿌듯함을 느낄 수 있다. 병실로 들어와 개운하게 샤워를 하고나서 시간을 체크한다.

아침 식사 시간은 7시인데 사정상 식사하러 오지 못하는 환우분들이 계시기에 배식차가 식당에서 나와야만 공식 식사 시간이 시작된다. 하지만 7시가 되기 10분 전부터 난 병실 문을 열고 고개를 복도로 빼꼼 내밀어 식당 쪽을 바라본다. 그러다가 씨익 미소 지으며 빠른 서둘러 걸어가 늘 1등으로 배식을 받는다.

다른 건 1등 못해도 밥이라도 1등으로 먹자! 그래서 아침 식사뿐 아니라 점심, 저녁도 마찬가지로 거의 1등으로 먼저 배식을 받았다. 그래서 일부 환우분들이 "구호 씨 오늘도 1등이네."라고 말해 주기도 했다. 나는 이런 작은 것에서부터 스스로 재미를 찾았다.

굳이 억지로 뭔가를 찾으려 한다면 그 또한 스트레스고 크게 도움 되지 않는다는 생각이다. 자연스럽게 진행되는 일상에서 살짝 방향을 틀어서 재미로 전환한다면 그게 자연스러운 즐거움과 소소한 행복의 시작이 아닐까 생각해 본다.

아침 식사 후에는 어싱(earthing)과 병원 앞 걷기를 했다. 그렇게 매일 매일 빠지지 않고 꾸준하게 운동을 하다 보니 습관이 되었다. 이제는 운동이 일상의 일부분으로 자리 잡아 운동을 하지 않으면 이상할 정도가 되어 갔다.

운동 후 씻고 나면 그 개운함을 온 몸에 휘감은 채로 1층 로비에 있는 카페로 출근을 한다. 내가 카페로 가는 시간은 오전 8시가 고정이다. 어쩌다 10여 분 정도 늦으면 카페에서 전화가 온다.

"왜 안 와? 무슨 일 있어?"

"하하하하하하하! 누나, 고객 관리하는 거야?"

"어서와, 맛있는 커피 내려 줄게. 장구호가 안 오니까 이상하잖아."

"엉~ 지금 바로 내려갈게."

이렇게 나를 찾아 주는 누나는 지인 누나의 친구이다. 아침 그리고 점심 후에도 내 방에 있는 시간보다 카페 테이블에 앉아서 수다 떠는 시간이 더 많았다. 그러다 보니 진료원장님의 회진시간에는 방에 없는 날이 거의 대분이라 늘 카페에서 회진을 했다.

한번은 수액과 주사를 맞아야 하는데 오전에 어싱하고 씻고 점심 후에 또 다시 카페에 앉아서 시간 가는 줄 모르고 수다를 떨고 있다가 간호사 선생님께 연행되기도 했다. 간호사 선생님 두 분이 내게 다가오시더니 "장구호 님, 주사 맞으셔야지요." 하고는 양쪽에서 내 팔을 잡고 형사 둘이 범죄자를 연행하듯이 가는 것이었다. 어쩌다 병실에 오랫동안 붙어 있으면 "어머, 어쩐 일이세요. 적응 안 되게." 하시면서 서로 웃는 일도 종종 생겼다.

살다 보면 의외의 장소에서 지인을 만나게 되는 일들도 있다. 생활의 반경을 벗어나 전혀 생각지 못했지만 지인, 혹은 지인의 지인을 만나게 되면 처음 대면임에도 불구하고 불편함 없이 편하게 금세 친해지기 마련이다. 나 또한 이곳에서 카페의 김연이(현 상담실장) 누나가 아는 누나(광주에 거주하는 전영숙) 누나의 절친이라니 말이다.

여기서 잠시 광주의 전영숙 누나의 인연은 광주에서 블로그 강의를 다닐 때 만났던 분이다. 우리나라 전래놀이의 손꼽히는 전국구 강사님으로 드라마 빈센조의 전래놀이 부문 자문을 맡기도 했었다. 또한 우리나라의 전래놀이는 물론이고 여러 나라들의 놀이에도 전문가로 전국에서 활동하는 강사이자 원광디지털대학교 교수로도 재직 중인 절친 누나이다.

몸이 열 개라도 모자랄 정도로 쉬는 날 없이 강의로 전국을 다니니 건강이 가장 염려되는데, 제발 좀 쉬라고 해도 일에 중독된 듯 일이 재미있다며 오늘도 어디론가 운전하며 가고 있을 것이다. 현송요양병원의 김연이 누나는 지금은 상담실장으로 자리를 옮겼지만 매일 아침 내게 커피를 내려 주며 하루를 시작했다.

이렇게 카페에서 1시간 이상을 죽치고 앉아 있으면, 한두 명씩 직원들이 출근하는 모습을 보게 되고 인사를 나누게 된다. 그리고 산책이나 운동 나가는 환우들과도 인사하고 수다를 떨게 된다.

특히나 이곳 요양병원에 입원해서 거의 한 달간은 하품으로 나름 힘듦을 겪었다. 서 있을 때는 괜찮은데 앉아만 있으면 잠을 충분히 잤음에도 끊이지 않으니 말이다. 더구나 1층 카페 테이블은 안내 데스크도 있고 출입문 옆인데다 소리가 울림이 일어나 내 하품소리는 하이톤으로 퍼져 나갔다. 1층의 모든 직원들은 나의 하품소리가 들리면 크게 웃었다. 그렇다. 난 아무 말 없이 하품만으로도 사람들을 웃게 만드는 재주가 생긴 것이다.

여럿이 추측한 결과 수술하고 나서 앉아 있으면 뭔가 눌려서인지 하품이 나는 것으로 결론을 지었다. 그러다가 거의 한 달이 넘어가니 하품 횟수가 점점 줄어들었고, 열심히 운동한 결과인지 어느새 하품은 사라지게 되었다.

요양병원 직원분들이 나를 다 알 정도로 매일같이 카페 테이블을 점거하면서, 환우들과 직원들과 수다를 떨며 크게 웃고 웃음을 주기도 하면서 나의 존재감은 더욱 부각되었고 매일 매일이 너무 즐거웠다. 그러다 보니 어쩌다 집에 다녀올 때나 병원에 갈 때는 카페가 조용하다며 내가 없으니 너무 이상하고 재미가 없다는 이야기를 하신다. 그런 말을 들을 때면 기분은 참으로 좋았다.

하루는 어싱을 나가기 위해 요양병원 버스 탑승 전 주차장 끝 쪽 산양들을 구경하다가 환우들이 입구에 줄을 서서 버스를 기다리는 모습을 보게 되었다. 이러다 내 자리가 없겠다 싶어서 후다닥 입구로 가서는 난 이렇게 이야기했다. "자, 버스 여기서 돌려야 하니 여기 넘어오시면 위험하니까 잘 지켜 주세요." 내 목소리에 환우분들이 "네!" 하고 대답들을 하신다.

그리고 버스를 돌려 탑승하기 위해 멈추면 난 후다닥 뛰어서 먼저 버스에 탑승하는 꼼수를 부리기도 하고, 어떤 날은 점심식사 전 식당 앞에서 배식차가 나오기 전인데 벌써 몇몇 분이 기다리고 계셔서 이렇게 또 외쳐댔다. "곧 배식차카 이쪽으로 나오니까 벽 쪽에 한 줄로 서 있으실게요!" 그러면 또 환우분들은 "네!" 하고 대답을 하신다.

무더운 더위가 점점 가실 무렵, 병원 한쪽 길에 어싱장을 만들게 되었다. 직원분들이 더위에 땀 흘리며 황토흙을 수레에 담아 붓는 작업을 하고 계시기에 나는 도구 하나를 집어 들었다. 직접 나서서 부어놓은 흙을 쇠갈퀴로 반듯하게 고르는 작업에 손을 보탠 것이었다. 물론 나는 환자이기에 운동한다 생각하고 살살 가볍게 흙을 골랐다. 그러다 보니 나름 재미도 있었다.

물론 난 시골 출신이고 농부이기 때문에 요령이 있어서 힘들이지 않고 가볍게 흙 고르기를 도맡아서 했다. 이로써 흙을 밟으면서 어싱도 하는 1석 2조의 효과를 보게 되었다. 며칠간의 작업이 끝나고 나니 너무도 뿌듯한 기분이었다. 몇 번을 어싱으로 수고한 나를 위로하는 시간을 보내며 건강도 덤으로 챙기게 되었다.

그러던 어느 날 어떤 분 몇몇이 내게 이런 질문을 던졌다.

"혹시 여기 직원이신가요?"

"저요? 아니요. 저도 환자예요."

"하하하하하하!"

함께 웃게 된다. 여름철 낮에 덥다 보니 그냥 반바지에 반팔 옷을 입었는데 반팔 옷 상의가 이곳 요양병원 관리실 직원분들과 근무복과 흡사하여 나를 직원으로 생각하셨던 모양이다. 그래서 최근에 내가 시를 한 편 써서 카페 한쪽에 붙여 놓은 게 있는데, 소개하자면 제목은 '정체성'으로 다음과 같다.

「제목: 정체성
지은이: 장구호


카페 테이블에 죽치고 앉아
출근하는 직원들 맞이하네


어싱 버스 통제하고
안전수칙 들먹이며
내가 먼저 올라타네


식당 앞 배식차 나오기 전
줄 세우며 기다리라 말하네


일부 환자들이 내게 묻는다
혹시 직원이세요?
나는
직원인가? 환자인가?」


　환우분들이나 직원분들이 읽어 보시고는 웃으신다. 맞는 이
야기라며 모두가 공감해 주니 나도 헷갈린다. 내가 환자인지 직
원인지. 아니면 환자 겸 직원인 것일까?
　요양병원에는 요일별로 각종 프로그램들이 있다. 그중에서

내가 하고 싶은 것, 관심있는 분야에 누구나 마음대로 참여할수가 있다. 그중에 나는 노래교실이 눈에 확 들어왔다. 그래서 용기 내어 노래교실에 참여했는데 참여 인원이 소수였고, 누가 노래를 가르쳐 주는 것이 아니라 노래방기계에 사회복지사의 주도하에 노래방 기계를 사용해 환우들끼리 노래를 부르며 나름의 스트레스를 해소하는 것이었다.

내게도 한 곡 하라고 권하여 긴장감을 가지고 마이크를 부여 잡고 노래를 부르게 되었다. 바로 김아중의 마리아를 선곡하여 여자 키로 원곡 그대로 소화를 해냈다. "와우~!" 다들 박수를 쳐 주신다. 이에 용기를 얻어 소찬휘의 티얼스도 부르고 김혜연의 참아 주세요, 그리고 팝송 스틸허트의 쉬즈곤을 불렀다. 그 때문에 건물이 쩌렁쩌렁 울리는 고음을 내며 노래 잘 부르는 환우로 자리를 잡았다.

노래교실이 다목적실에서 진행되다 보니 반주음악 소리는 작고 오로지 내 목소리만 퍼져 나갔다. 그래서 밖의 환우들도 다 들었고, 아래층에서까지도 나의 노래 부르는 목소리만 크게 들려 온다고 했다. 그렇지만 너무 즐겁고 행복한 시간이다,

그리고 또 하나 참여했던 프로그램은 요가 프로그램이었다. 사회복지사 조연희 선생님이 요가를 지도해 주시는데 자꾸 오라고 해서 강제 참여를 하게 되었다. 그런데 내 몸이 이렇게 뻣뻣할 줄이야. 그래도 내 몸이 따라 주는 한도 내에서 1시간 동안 유연성을 키웠다.

한번은 끝나기 10분 전 누워서 눈을 감고 힐링 음악을 들으며 명상의 시간을 가진 적이 있었다. 그런데 "일어나세요."라는 소리에 벌떡 일어나면서 내가 이렇게 이야기했다. "아유 깜빡 잠들 뻔했네." 그러자 요가에 참여했던 분들이 이렇게 이야기하신다. "주무셨어요!! 코까지 골던데요!" 완전 웃음바다가 되었다.

그렇다. 난 명상 시간에 코까지 골면서 잠이 들었던 것이다. 밤에 잘 못자다보니 이렇게 잠을 자는 나의 모습이 너무도 우스웠다. 물론 물리치료실에서 치료받다가도 도수치료를 받다가도 코를 골며 살짝 잠드는 경우가 허다했다. 지금도 마찬가지로 코를 고는데, 그러면 옆의 치료받던 사람들도 함께 웃는 시간을 가지게 된다.

#

더위가 절정에 다다를 8월에 접어들고 요양병원에 새로운 환자가 들어오게 되는데, 세상에나 어찌 이런 일이 있을까. 아까 언급했듯 현 상담실장으로 근무하는 김연이 누나의 친구인 전영숙 누나의 친언니가 암 수술을 하고 입원한 것이다.

다른 곳도 아닌 암 요양병원에서 이렇게 조우를 하다니. 슬픈 인연이지만 이제 어찌할 수 없는 것이기에 있는 동안 즐겁게 보내기로 한다. 나에게는 큰누나가 생긴 것이나 마찬가지였다. 그렇게 함께 식사하고 운동하면서 즐거운 병원 생활을 이어 갔다.

그러던 9월 초 주말을 보내고 나서 월요일은 무사히 지나고 화요일이 되니 약간의 감기 기운이 찾아왔다. 기침은 거의 없는데 콧물이 흘러 약 처방을 받았다. 다음 날인 수요일 아침에는 기침하는데 목이 좀 아팠다. 그래서 진료원장님께 말씀드리니 코로나 검사를 해 보자 하셔서 간호사실에서 자가키트 검사를 해 보았다. '허걱!' 두 줄이 나왔다.

그렇게 난 곧바로 격리실에 들어가야만 했다. 왜 코로나에 걸렸을까 하고 생각을 해 보니, 주말 해양공원 케이블카 탑승 대기 때 수많은 인파 속에 나는 마스크를 쓰지 않았던 것이다. 결국 난 격리실에 꼼짝없이 갇힌 신세가 되었다.

그렇게 매일 아침이면 식후 8시에 카페에 앉아 수다 떨며 보내던 생활 패턴이 무너졌다. 커피도 마시고 싶고 대화도 하고 싶고 바쁘게 움직이는 사람들도 보는 병원 생활이 하나의 즐거움이자 낙이었는데 갑자기 모든 게 멈춰 버린 일상 시간이 지루하기 짝이 없었다. 그래서 재미있는 시 두 편을 써 보았다.

제목은 '색깔'.

「두둥실 떠가는 회색빛의 뭉게구름
푸른색을 띠며 바람에 몸을 맡기는 산속의 나무들
형형색색 다양한 색깔을 뿜내며 지나가는 수많은 자동차들
제각기 색깔들을 나타내며 주변을 환하게 만드는 개성들의 색
그리고 내 친구의 눈 색깔

친구야……

병원 가라

황달이다」


또 하나는 제목이 '악귀소환'.


「시원한 에어컨 아래에 반짝이는 어여쁜 얼굴

화가 나 있는지 연신 부채질하며 느끼는 손목 관절의 통증

악귀가 들어 있는 것일까?

악귀 소환을 해야 하나

순간 나는 경이로운 소문이가 되어 융의 땅을 부르고

염력으로 끌고 와 소환하는 상상을 했다

누나 미안해

갱년기 소환은 안 돼」


카페와 상담실장을 맡고 있는 김연이 누나는 한겨울에도 선풍기를 켜거나 부채질을 한다. 암 치료와 갱년기 증상으로 지금도 연신 부채질을 하고 있으니 보는 내가 다 답답할 정도이다. 얼굴은 니스를 칠했는지 반질반질하여 윤기가 난다. 가끔은 노안이 왔는갑다고 놀리기도 했는데 미안해진다.

5일간의 격리 생활을 하다가 나름대로 답답함을 해소하기 위

한 방법을 찾기 시작했다. 창문과 방충망을 열고 나서 머리를 바깥으로 쭈욱 내미니 상반신이 창밖으로 나오게 되고 배에서 딱 걸렸다. 그렇게 아침저녁으로 출퇴근하는 직원들에게 손을 흔들어 인사하고, 어싱 나가거나 이동하러 나오는 환우들에게 인사하며 서로 안부를 묻기도 했다.

그렇지만 그것도 잠시뿐, 그냥 평상시라면 못 느꼈을 답답함과 우울함이 느껴졌다. 격리라는 단어 속에 온통 사로잡힌 듯했다. 그렇게 텔레비전에만 의존하다가 누군가 방문을 똑똑 노크하면 어찌 그리도 반가웠는지. 간호사 선생님이 한 번씩 찾아오실 때를 제외하고, 나는 나를 정적 속에 가두어 버렸다. 특히 밤에는 더 심하게 조용하여 이런 생각까지 들었다. '귀신이라도 찾아와 주면 너무 고맙겠다.'

어느덧 5일이라는 시간이 흘러갔다. 5일째 아침 자가키트 검사를 하니 음성으로 나와서 격리실에서 벗어나 내 방으로 복귀하는데 너무도 홀가분한 기분이었다. 그 기분을 지금도 잊을 수가 없다. 나는 다시 내 자리를 찾아갔다.

바로 1층 카페 로비로 가서 나의 일상을 시작했다. 다들 "장구호가 없으니 1층이 너무 조용하고 심심했어. 이제 아프지 마." "나중에 장구호 퇴원하면 심심해서 어찌할까." 나는 크게 웃으면서 "긍게 말여, 나 없으믄 어찌까잉." 이렇게 다시 일상에서 소박한 행복과 즐거움을 만끽하며 내 삶을 살아간다.

격리 중에 있었던 일이 기억난다. 병원 주차장 한쪽에서 사람들이 웅성거리길래 상반신을 창밖으로 내밀고 무슨 일인지 알아 보니, 새끼 고양이가 배수로에 빠져서 울고 있다는 것이었다. 어떻게 들어갔는지도 의문이지만 구출해 낼 방법도 걱정이었다.

환자 중에 고양이를 키우는 친구가 있었는데 나의 동갑내기로 배진아라는 친구였다. 그 친구가 119에 구조 요청도 해 보았지만 어찌하지 못해 내가 여수 지인에게 사정 이야기를 했다. 그래서 그 지인이 고양이를 구조할 사람을 보내왔고, 케이지를 설치해 놓고 고양이가 들어가기만을 기다렸다.

쉽게 들어가지를 않으니 걱정되었다. 새끼 고양이가 얼마나 배가 고플까. 그래서 배진아 친구가 고양이 밥을 아래에 넣어 주었다. 그렇게 무사히 구조되기를 바라는 수밖에 없었다. 2일 정도 지났을까 드디어 케이지에 고양이가 들어갔다.

케이지를 빼내고 고양이를 데리고 가는 모습을 보면서 생명의 소중함을 생각하게 되었다. 이곳 암요양병원의 모든 사람들은 생사의 기로에서 위기를 넘기고 회복 중인 사람들이었다. 그런 이들과 함께 나 자신도 돌아보며 삶, 생명의 고귀함을 깨닫고 이 세상에는 소중하지 않은 게 하나도 없다는 것을 공부하는 계기가 되었다. 그리고 새끼 고양이를 위해 정성을 쏟아부은 배진아 친구에게도 고맙다.

격리가 해제되고 일상으로 돌아오니 매일 한결같이 직원인 듯 환자인 나는 간호사 선생님들과도 웃으며 마주하고 가벼운 농담으로 하루를 시작한다. 나는 요양병원에 입원하고 나서 어느 정도 적응한 뒤, 하나의 캐릭터로 자리잡게 되었다. 바로 '엄살쟁이'였다.

아무것도 아닌데도 크게 아픈 듯한 리액션으로 "아야~!" 하면 정말 아파 보이는지 괜찮냐고 묻는다. 사람들이 지나가다 살짝 터치만 해도 엄살을 부린다. 그러면 사람들에게 큰 웃음을 줄 수 있다. 이렇게 함께 즐겁게 사는 요양병원의 생활이 너무도 행복하다.

하루는 미평 산림욕장 어싱 중이었는데, 내 앞에 환우분이 걷고 그 앞에는 사회복지사 조연희 누나가 걷고 있었다. 나는 순간 장난끼가 발동하여 일부러 앞에 가시는 분 손에 살짝 터치하면서 "아야, 아파~!" 애교 섞인 목소리를 냈다. 그러자 그분이 괜찮냐고 물으셨고, 난 웃는다. "히히히히히히!" 이 모습을 본 사회복지사 조연희 누나는 "조심하세요, 잘못하면 덤탱이 씌울 수 있어요."라며 나보다 한 술 더 뜬다.

그냥 하루하루가 내겐 즐거움이자 행복이었다. 어쩌면 암이라는 병이 내게 이런 시간을 준 것일지도 모른다. 그래서 기분 좋게 받아들여진다. 그렇지 않다면 내 삶에서 이런 시간들은 상상도 할 수 없었을 것이다.

\#

추석이 지나고 10월 어느 날, 작은 택배 상자가 도착했다. 큰 조카가 '아유다'라는 이름으로 스마트폰 케이스 제작 판매를 하고 있는데, 지난 여름부터 시작을 했었다. 역시 스마트한 조카라 아이디어스나 스토어팜에 진작 등록하여 운영하고 있었던 것이었다. 검색창에 '아유다'를 검색하면 우리 큰조카가 만드는 예쁜 스마트폰 케이스를 만나 볼 수 있다.

내 폰이 오래되고 큰 충격으로 완전히 파손되어 폰을 교체하게 되었고 큰조카가 삼촌 폰 교체했으니 케이스 예쁜 걸로 만들어 주겠다며 제작하여 보내준 것이다.


#

계절이 바뀌고 어느덧 11월이 되어 난 화순병원에 정기 검사를 가게 되었다. 검사는 소변과 채혈 그리고 조영제 CT 촬영을 해야 했다. 조영제는 속이 울렁거리는 부작용이 살짝 있지만 견딜 만했다.

그리고 그 다음 주 검사 결과를 보러 다시 병원을 찾았다. 담당교수는 "검사 결과에 별 이상이 없으니 이제 6개월 후에 보자."고 하셨다. 가벼운 마음으로 병원에 복귀하면서 내년 5월을 기약했다. '그래도 내가 지금 잘 관리하고 있구나, 지금처럼만 하자.'라는 마음을 갖게 되었다.

난 내가 쓴 책 '웃음이 필요한 너에게'를 항상 여유 있게 병실이나 차에 가지고 다닌다. 요양병원에서도 친한 환우들 몇몇에게 사인하여 주기도 했다. 어떤 분께서는 직접 구입하여 내게 사인을 요청하는 일도 있어 죄송한 마음에 이 에세이를 출간하면 사인해서 보내 드린다고 약속을 했다.

그리고 환우 중에 김혜영 누나가 있는데 이 누나는 사인해서 선물로 드렸더니 책값을 이체해 주셨다. 게다가 책에 본인만의 느낌과 생각을 적고 손편지로도 글을 남겨 주었다. '아, 이런 분도 계시구나.' 학원에서 아이들에게 역사, 세계사를 가르쳤기에 글솜씨도 대단한 누님이다. 그래서 책에 나의 답글을 쓰고 있는 중이며, 그에 화답하여 책을 드렸다. 늘 위로와 격려를 보내 주는 따뜻함에 고맙습니다.

최근에 퇴원하고 대전 본가로 가신 누님은 나의 글을 읽다가 엄마 생각이 나서 펑펑 울었다고 했었다. 내 글에 공감해 주고 눈물도 흘려 주고 웃어 주는 분들이 계셔서 너무도 뿌듯하다. 글의 힘을 다시 알게 된 계기가 된 것 같다.

내가 받는 치료 중에 고주파가 있는데, 나를 현송의 귀염둥이로 표현해 주는 옥은정 선생님, 고주파실의 가습기가 탐난다고 했더니 미니 가습기를 하나 구매하여 작은 손편지와 함께 선물해 주시는 게 아닌가. 크리스마스의 선물로 건조한 세상을 촉촉하게 적셔 주셨다. 고주파 후 배 때문에 무거워 잘 못 일어나는 나를 늘 일으켜 주곤 하셨는데, 이참에 천장에 밧줄 하나 매달아 놓으면 그걸 잡고 일어나겠다고 우스갯소리를 했다.

그리고 물리치료실에는 나를 항상 '달님'이라고 부르시는 김숙현 선생님이 계신다. 늘 밝게 웃어 어둠을 밝혀 주는 달처럼 환하다고 그렇게 불러 주시는데, 달님이란 호칭에 보름달 빵이 먹고 싶다는 말을 하자 바로 보름달빵을 주문하여 나눠 주셔서 맛있게 먹기도 했다. 김숙현 선생님, 또 보름달 빵이 먹고 싶네요!

#

어느새 시간이 흘러 12월에 진입했고, 송년회 장기자랑에 참가할 환우는 신청하라는 안내장들이 여기저기에 붙었다. 난 지금까지 살아 오면서 장기자랑에 참여해 본 역사가 없다. 지독히 내성적인 성격 탓에 남들 앞에서 무언가를 한다는 건 강의빼고는 없었다.

그런데 고라니 동생이 춤을 춰 줄 테니 나가 보라 한다. '아……' 갈등이 심했다. 평생 즐거운 추억을 만드느냐, 아니면 그냥 관람자로만 남느냐의 기로에서 고민했다. 그러다가 나 혼자가 아니기에 참여하기로 굳게 마음을 먹고 틈틈이 함께 댄스 연습을 했다.

나는 지독한 몸치였기에, 노래에 댄스까지 하려니 여간 힘든게 아니었다. 노래방 문화 이후 노래 가사를 못 외운다는 단점이 있는데 가사는 일단 둘째 치고 댄스가 더 문제였다. 그래서 틈틈이 다른 사람들 눈을 피해 내 병실에서 몰래 춤을 연습하곤 했다. 난 이 고라니 동생을 히든카드로 하고, 출전은 나 혼자 하는 것으로 했기에 비밀에 부쳐야만 했다.

주말에는 대부분의 환우들이 집에 가기도하여 연습하기 딱좋았다. 그래서 연습에 연습을 했지만 좀처럼 실력은 늘지 않으며, 동작도 헷갈렸다. 노래는 조용히 가성으로 부르면서 댄스까지 하려니 너무도 숨이 찼다.

드디어 시간이 흘러 12월 19일 화요일, 송년행사가 있는 날이 되었다. 저녁 식사를 하고 나니 점점 긴장감이 오기 시작했다. 그렇게 가슴이 두근두근 뛰면서 엄청난 긴장이 몰려와 나를 가만두지를 않았다. 드디어 송년의 밤 행사가 시작되고 노래에 출전하는 사람들 중 난 첫 번째로 출연하였다.

송년의 밤 행사의 진행은 현송요양병원의 찰떡 콤비인 관리 부장 주종석 형님과 외래상담 이애경 누님의 진행으로 문을 열었다. 사실 날 첫 번째로 배치해달라고 미리 이야기하기도 했다. 신청도 제일 먼저 했으니 말이다. 일찍 끝내고 관람하는 게 마음 편할 것 같아서이기도 했지만, 댄서를 자정한 고라니 동생이 나 다음 순서에도 댄서로 나간다고 했기에 먼저 신청하기도 했다. 고라니 동생이 같은 방 언니도 출전하는데 갑자기 댄서를 해 달라는 요청이 들어왔다고 했기에, 반드시 내가 먼저 해야 했고 소원대로 내가 먼저 노래를 부르게 되었다.

드디어 나의 소개가 되고 음악이 흘러나왔다. 신청곡은 내가 좋아하는 가수 김종국의 노래이며 제목은 '사랑스러워'이다. 그런데 실전은 연습한 대로 되지 않았다. 가사를 모르니 뒤돌아 화면을 보면서 가사도 틀리고 춤은 춤대로 엉성하니 엉망이고 숨은 숨대로 차서 고음은 제대로 되지도 않았다. 하지만 끝나고 나니 너무도 후련했다. 그 마음이 아직도 그대로 느껴진다.

난 사실 장기자랑에 출전하면서 순위에 상관없이 사람들 앞에서 뭔가를 한다는 것에 큰 의미를 부여했다. 내 자신감을 더욱 키우려는 목적으로 참여를 한 것이었다. 심사가 모두 끝나고 입상 발표의 시간이 왔는데 은근히 두근거리고 사알짝, 아주 살짝 욕심이 나긴 했다.

현송요양병원의 꽃인 박미소 이사님이 발표하시는데 3위는 "구호 구호 장구호님!"이라고 하는 것이다. 난 벌떡 일어나서 "우와~!" 하면서 고라니를 바라보았고 서로 웃음을 지었다. 내가 어린아이처럼 "아유! 신난다!" 하면서 껑충껑충 뛰어나가니 모두가 박장대소했다. 10만 원 상품권을 받아들고는 함께 춤을 춰 준 고라니 동생과 기쁨을 나누고 또 상품권도 나누었다. 그렇게 행복한 기분으로 하루를 마감했다.

외래상담하는 애경 누님이 항상 날 "구호 구호"라 부르다 보니, 그게 내 별칭이 되어 버렸다. 그러나 전혀 어색함 없이 어디서나 "구호 구호!" 하면 "네~!" 하고 대답하게 된다. 귀여운 애경 누님은 사람을 친근하게 대해 주셔서 참 편안한 분이다.

그리고 며칠 후 금요일 오전 10시, 6층 다목적실에서 분주하게 예배를 미리 준비하는 모습들이 아직도 선하다. 늘 금요일 오전 10시에는 힐링 예배 시간이 있다. 예배가 끝난 후에는 각 병실마다 돌며 선물도 드린다고 한다. 난 박미소 이사님이 특별히 따로 성탄절 선물 겸 내 생일 선물을 미리 챙겨 주셔서 크게 감동하고 기뻤다.

박미소 이사님과 관련한 에피소드가 하나 있다. 하루는 여느 때와 같이 카페 테이블에 앉아서 커피를 마시고 있는데 영양사 선생님이 내려와서 이사님을 찾는 것이었다. 카페 사람도, 상담 선생님들도 못봤다 한다. 난 조금 전 분명히 이사님하고 이야기를 했고, 그 후 어디론가 가셨는데 어디로 가셨는지 알 수가 없었다. 그때 바로 장난기가 발동을 했다.

"조금 전 이사님 봤는데 동선을 놓쳐 버렸네요. 이러다 관리부장 면접에서 나 떨어지는 거 아니에요?" 그 이야기에 다들 박장대소하며 잠시나마 웃는 시간을 가지게 되었다. 나중 농사 때려치우고 요양병원 관리실로 취직을 할까 보다. 지금 현 관리부장님인 주종석 형님, 저를 견제하셔야 할 듯합니다! 혹시라도 관리실 직원으로 취직하게 되면 잘 부탁드려요.

늘 내게 막내 동생에게 하듯 잘 대해 주시는 이사님은 따뜻함을 전달하는 능력을 가지고 계신다. 여장부 같은 면모를 지니셨지만, 때로는 여성스러움으로 환우들에게 온기를 전하며 한마디 한마디에 사랑을 담아 말씀하신다. 특히 퇴원하는 날 나를 꼬옥 안아 주시면서 반드시 건강 잘 지키라고 말씀해 주셨다. 그 마음 고맙습니다.

#

드디어 해가 바뀌고 2024년이 되었다. 2023년 12월 하순부터 요양병원 로비에서는 바자회가 되었는데, 병원장님을 비롯하여 환우들까지 상품성은 좋지만 쓰지 않는 물건들을 내놓고 필요한 사람들이 구입하도록 하는 것이었다. 모인 금액을 여수시에 기부하기로 했는데, 반응이 아주 좋았기에 생각보다 많은 금액이 모였다. 상품마다의 가격차는 있지만 대부분 5,000원에서 1만 원 사이의 금액이었다. 그렇게 연말까지 총 모금액이 101만 5,000원이 되었다.

송길선 국장님이 나를 부르시더니 기부금 서류를 작성하고, 다음 날 기부금 전달에 같이 갈 환우를 추천해 달라고 하여 혜영 누나와 진아 친구를 추천했다. 그리하여 다음 날인 2024년 1월 4일 여수시청에 현송요양병원 송길선 국장님과 나 그리고 친구 배진아, 그리고 김혜영 누나와 함께 환우 대표로 기부금을 전달했다.

'우리가 누군가를 위해서 무얼 할 수 있을까?'라고 생각해 본 적이 있다. 그러나 지나고 보면 별것 없었던 것 같다. 무언가 대단하고 크고 많이 해야 된다고 생각하지만 절대 그렇지가 않다. 어쩌면 따뜻한 나의 작은 손길도 누군가에게 큰 위로가 될 것이다.


#

난 종교가 없다. 그러나 요양병원에서는 매주 금요일 오전 10시 다목적실에서 힐링 예배가 진행된다. 어찌어찌 하다 보니 내가 11월 중하순경부터 매주 금요일에 힐링 예배에 참석하게 되었다. 박미소 이사님과 기타 직원분들, 환우분들도 반갑게 맞이해 주시고 12월에는 나 스스로 자진하여 대표 기도를 하겠다고 이야기를 하고, 심혈을 기울여 작성한 기도문을 앞에서 읽어 내려가며 나의 심정을 하나님께 전했다.

퇴원을 앞둔 2월에는 새벽 기도에도 나가게 되었다. 내가 이렇게도 변할 수가 있단 말인가. 이런 나를 너무도 환영해 주시는 박미소 이사님과 환우분들의 따뜻함에 매일 아침 일찍 참석했다.

그러다 내가 퇴원하는 2월 8일이 되었다. 그날 새벽기도에서 책상 위에 두 팔을 올리고 기도를 드리고 있었는데, 눈을 뜨니 아무도 없고 나 혼자만 있는 게 아닌가. 내가 기도에 열중해 있어 조용히들 나가신 것 같았다. 졸려서 잠이 들었을 뿐이었는데 말이다. 사람들의 말 한마디, 작은 영향은 크게 작용하여 나를 바꾸고 변화하게 만드는 것 같다.

지금은 다시 휴일이 없는 농촌 생활을 하고 있어서 무교로 돌아왔지만 무엇보다 중요한 것은 사람의 마음가짐이라 생각한다. 내가 어디에 있건 내가 간절히 바라고 원하는 것에 대해 늘 진심을 다하고 긍정의 힘을 더해 바란다면 무엇이든 이루어지리라 생각한다.

부정적인 생각은 버리고 좋은 생각과 좋은 행동으로 나를 성장시키고, 내 스스로가 매일 매일 점점 좋아지고 있다는 것을 상기하며 내 자신에게 주문을 외운다면 안 될 게 없을 것이다.

올해 새해를 맞아 내게 또 다른 흔적이 추가되었다. 곡성기차마을전통시장 상인회가 새로이 꾸려지면서 내가 상인회 이사로 자리에 추천된 것이었다. 나는 고심 끝에 수용하고 현재 활동 중이다. 내가 무언가를 할 수 있다는 게 참으로 고마운 일이다. 그리고 나의 주변 사람들에게도 항상 감사드린다.

#

어느덧 나는 요양병원을 퇴원하게 되었다. 그동안 정들었던 환우분들, 직원분들과 헤어져 집으로 가는 발걸음이 아주 무거웠다. 더구나 설 명절연휴 전 날 퇴원이라 너무도 아쉬움이 컸다. 너무도 그리운 곳으로 기억될 듯하다.

특히 조금 더 친하게 지냈던 간호사 선생님들 중 내가 퇴원할 때 근무시간이 맞지 않아 인사를 못 하고 온 분이 있어 아쉽다. 그래도 나중에 통원 때 뵐 수 있을 거라 생각한다.

퇴원하고 나서 설 명절이 지나고 2월 23일은 곡성 장날이라, 묘목 장사를 하러 나갔다. 이날은 또 나의 아들 현수와 딸 소영이가 대학교를 졸업하는 날이었다. 난 장사를 해야 했으므로 아이들 졸업식에는 가지 못했다. 현수와 소영이도 안 오셔도 괜찮다 말했지만 괜히 아빠로서 미안함을 느껴 아이들 계좌에 용돈을 이체했다.

아들 현수는 조선대학교 수학과를 차석으로 졸업하며 모범상과 교원 자격증을 받았고, 딸 소영이는 호남대학교 바이오융합

학과를 졸업하며 졸업우등상을 받았다. "역시 내 새끼들이 학업에 열중하며 잘 해냈구나."라는 생각을 하면서 참으로 기분이 좋았다.

이제 현수와 소영이가 취업을 하게 되면 난 더 이상은 바랄게 없을 것이다. 우리 아이들 잘 해낼거라 굳게 믿고 기다리려 한다. 현수야, 소영아. 그동안 수고 많았고 무사히 잘 졸업해 줘서 고맙구나. 사랑한다.

#

나는 그간 수면장애가 있었지만 2024년이 되면서 잠을 잘 자게 되었다. 물론 새벽 일찍 깼다가 다시 잠들기도 했지만, 확연하게 올해는 수면의 질이 높아졌다. 매일 아침 일찍 깨어나 씻고 병원 앞 주차장을 천천히 걸으면서 선선함과 상쾌함, 그리고 차가운 맑은 공기를 맞으며 나를 감싸는 계절의 기운을 온몸으로 맞이한다.

여수공항 활주로의 예쁜 조명이 밤새도록 나를 비춰 주었다. 이른 새벽 순천과 여수를 오가는 수많은 차량들, 그리고 레일 위를 달리는 기차와 화물열차, 그리고 창가를 비추는 가을날의 반딧불이 나를 치유하는 공간으로 이끌어 준다.

그냥 아무 생각 없이 어두운 방에서 바라보는 바깥의 풍경은 그저 신비롭기만 하다. 바람에 몸을 맡기며 맑은 하늘에 둥둥 떠가는 구름도 바라본다. 아등바등 삶에 치이기보다는 자연스럽게 흘러가는 시간에 나를 맡겨 놓고 잠시나마 구름이 되어 본다.

때론 힘찬 날갯짓을 하다가도 날개를 쫙 펴고 공기의 흐름에 몸을 맡겨 보자. 그렇게 우리에게도 때론 쉼표가 필요하다. 글에도, 연주자들이 보는 악보에도 쉼표가 있다. 지속성, 연속성을 유지하기 위해서는 누구에게나 쉼표가 필요하다.

우리 몸도 마찬가지로 휴식이 필요하다는 것은 누구나 다 안다. 하지만 가혹한 현실 속에서 살아가기 위해 몸부림을 치며 어쩔 수 없이 쉼표를 무시하는 상황도 생긴다. 하지만 그렇게 내가 조금씩 아주 조금씩 망가져 가는 변화를 느낄 수가 없을 정도로 시간이 흐르다 보면 쉼표가 의미 없어진 시간을 마주하게 된다.

늦기 전에, 더 늦기 전에, 조금이라도 꺼져 가는 불씨를 살릴 수 있도록 내 삶의 쉼표를 반드시 찾아야 한다. 그렇게 내 삶을 내가 스스로 행복하게 만드는 게 인생에서 가장 중요한 부분이 아닌가 싶다.

퇴원 후 일상에 복귀해서 고된 농촌의 노동을 마치고 저녁을 먹고, 약 40여 분 정도 3킬로미터가 조금 넘는 거리를 걸어 본다. 너무 무리하지 않고 주변 자연을 살핀다. 날아가며 지저귀는 새들을 바라보고 푸르른 소나무들이 불어오는 바람에 흔들리는 모습도 본다. 어디선가 날아오는 꽃향기에 봄의 기운을 느껴 보며 행복감을 온몸으로 받아들인다.

행복에는 여러 요소들이 집합해 있다. 건강하고, 내 가족들이 있어 따뜻하고, 이웃들과 더불어 살아가면서 정이 넘치는 삶. 우리 모두가 다 알 것이다. 코로나19로 모든 삶의 습관, 환경들이 바뀌었다. 그로써 그냥 지루하지만, 재미가 없지만, 그저 그런 일상들이 크나큰 행복이었다는 것을 우리가 알게 되었다.

지금 당장 죽을 병 없고, 밥 굶지 아니며, 죽을 만큼의 고통을 느끼지도 않고, 삶의 무게가 지독하게 무겁지 않은 한 지금 현재가 나의 행복일 것이다. 그리고 그 행복의 기운이 늘 나를 감싸며 내 사람들에게 행복 바이러스를 전파하면서 발생되는 효과들을 생각해 본다.

오늘을 살아갈 수 있는 것에 대한 고마움을 알고 희망을 품을 수 있는 내일이 있다는 것 또한 큰 행복이다. 내 주위 사람들과 온기를 나누고, 다정하게 용기를 주고 위로하며 함께 살아가는 세상 속에서 다시는 돌아오지 않을 우리 삶의 계절에 따라 후회 없이 말 한마디 한마디라도 정겹게 나눠 보자.

봄에는 꽃향기가 가득한 언어로, 여름에는 얼음처럼 시원한 언어로. 가을에는 단풍 빛 마음 풍성한 언어로. 겨울에는 가슴 따뜻한 언어로 나와 가족, 주변 사람들에게 온기를 전해 보자. 내 삶에는 내가 만들어 온 나의 삶의 흔적들이 새겨질 것이고 타인의 삶의 흔적에 나를 남기게 될 것이다. 이 세상에 남겨진 나의 흔적들.

이만하면 나는 내 흔적은 제대로 남긴 것 같다. 하지만 여기서 안주하지 않고 난 또 다른 나의 꿈을 찾아 실현하고 드넓은 세상에 나의 흔적들을 그려 넣으며 내 삶의 만족을 더더욱 풍성하게 채워 가리라. 오늘이 저문 뒤, 내일은 어떤 일들이 나를 살게 할지 무척 큰 기대를 꿈꾼다. 그렇게 지금까지 이 세상에 남긴 나의 흔적들을 글자로 새겨 본다.

오늘도 나의 흔적을 이곳 저곳에 남겨 본다. 나의 인생의 봄을 위해, 내 삶의 봄, 나의 흔적, 나, 아들 현수와 딸 소영, 그리고 소중한 나의 인연들에게.

05

책을 마치며

'웃음이 필요한 너에게' 출판 이후 다음 출판에 대해서는 전혀 생각 없이 지내다가, 암이라는 질병이 찾아와 이렇게 글을 쓸 수 있는 시간을 주게 된 것 같다. 그냥 일기처럼 끄적여놓은 글들, 그리고 그동안 내가 살아오면서 기억나는 이야기들을 두서없이 늘어놓으면서 지난날 내가 살아온 기억들을 더듬어보고 아직도 잊히지 않는 생생한 이야기들이 지금의 나를 있게 해준 밑바탕, 그리고 현재의 나를 만들어 준 이야기들이 죽을 때까지 잊지 못할 것이다.

나와 인연을 맺은 소중한 사람들과 스쳐 지나갔던 사람들도 많지만 내 삶이라는 내가 주인공인 내 인생의 영화에서 조연으로 출연해 준 나의 사람들, 다양한 에피소드들을 만들어주고 나를 즐겁게 해주며 때론 슬프기도 하지만 여러 감정들을 만들어내면서 행복하고 소중한 추억들을 만들어주어 너무도 감사를 드린다.

이야기 속에 모두를 담지는 못했지만 소중한 한 분 한 분 모두에게 진심으로 감사를 드리며 책을 읽지 않는 나로서 글을 쓴다는 게 창피하기도 하고 부끄럽다. 그렇지만 내가 살아온 삶의 이야기는 오직 나 자신만이 잘 알기에 나의 이야기를 이렇게 기록으로 남겨두는 것 또한 큰 의미도 있으며 나의 이야기들이 비록 나의 개인적인 이야기이기도 하면서 누군가는 공감이 되기도 하고 함께 웃거나 때론 안타깝기도 하고 여러 이야기들 속에 나와 같은 에피소드가 있다면 반드시 공감할 것이다.

그동안 반백 년 동안 살아오면서 수없이 스쳐간 인연들 중에서 기억에 또렷이 남았던 이야기들과 암을 통해 요양병원에서 만난 인연들과 암을 극복하기 위해 그간 누려보지 못한 것들이 지금은 한없이 소중하고 지금의 나를 살아가는 힘이 되기도 한다.

이 글을 보시는 분들도 다이어리나 노트 혹은 메모장에 끄적여놓은 나의 이야기들이 있다면 나와 가족, 그리고 지인들에게 나의 삶을 이야기하고 각자의 추억을 함께 공유하며 그때 그 시절의 이야기로 추억 여행을 떠나 보시는 건 어떨까요? 글이라는 건 모든 이들에게 공감을 일으킬 수 없이 부분 부분만 공감하거나 아니면 대부분 혹은 전혀 그렇지 못할 것이다.

그렇지만 글이 누군가에게 영향을 주건 안 주던 나 자신이 변화하고 내가 나에게 영향을 주었다면 분명 이는 그만큼의 가치를 지녔을 것이라 생각한다.

그 가치가 나에게 그리고 이 글을 보는 당신에게 전해지길 바라며.....

2024년 봄날

꽃 같은 인생을 살고 싶은 내가 나에게 그리고 여러분들에게

# 세상에 남긴 나의 흔적들

삶의 아픔을 함께 이겨내는 치유 에세이

**발행일** 2024년 6월 5일

**지은이** 장구호
**펴낸이** 마형민
**기 획** 신건희
**디자인** 김안석
**편 집** 이은주, 김재민
**펴낸곳** (주)페스트북
**주 소** 경기도 안양시 안양판교로 20
**홈페이지** festbook.co.kr

ⓒ 장구호 2024

ISBN 979-11-6929-498-0 03810
값 12,000원